FAITES LE ZÉRO...

raphaël
KORN-ADLER

FAITES LE ZÉRO...

Catalogage avant publication de la Bibliothèque nationale du Canada

Korn-Adler, Raphaël, 1941-
  Faites le zéro...
  (AmÉrica)
  ISBN : 2-89428-672-4
  I. Titre. II. Collection.

PQ2671.076F34 2003   843'.914   C2003-941131-1

Les Éditions Hurtubise HMH bénéficient du soutien financier des institutions suivantes pour leurs activités d'édition :

- Conseil des Arts du Canada
- Gouvernement du Canada par l'entremise du Programme d'aide au
  développement de l'industrie de l'édition (PADIÉ)
- Société de développement des entreprises culturelles au Québec (SODEC)
- Programme de crédit d'impôt pour l'édition de livres du gouvernement
  du Québec

Maquette de la couverture : Marc Roberge
Illustration de la couverture : Luc Normandin
Révision linguistique : Hélène Bard
Maquette intérieure : Lucie Coulombe
Mise en page : Martel en-tête

Éditions Hurtubise HMH ltée   Librairie du Québec / DEQ
1815, avenue De Lorimier   30, rue Gay-Lussac
Montréal (Québec) H2K 3W6   75005 Paris FRANCE
Tél. : (514) 523-1523   Tél. : 01 43 54 49 02
Téléc. : (514) 523-9969   liquebec@noos.fr

ISBN : 2-89428-672-4

Dépôt légal : 3e trimestre 2003
Bibliothèque nationale du Québec
Bibliothèque nationale du Canada

Imprimé au Canada
www.hurtubisehmh.com

Pour Rodrigo

La Vie aux enchères, roman, Montréal, Québec Amérique, 1997.

São Paulo ou la mort qui rit, roman, Montréal, Hurtubise HMH, coll. « amÉrica », 2002.

Je n'aime pas qu'on me téléphone — et je donne d'interminables coups de téléphone pour que, pendant ce temps-là, personne ne puisse me téléphoner.

Sacha Guitry

Lorsque je visite un pays pour la première fois et que j'arrive à la frontière, je me sens toujours intrus, suspect par la force des choses, presque coupable, sans savoir de quoi au juste on pourrait m'accuser.

Le promeneur
Frontières ou tableaux d'Amérique
Noël Audet

CHAPITRE PREMIER

Le sourire de Maria dévoilait des dents étincelantes qui tranchaient sur ses lèvres sensuelles. Lúcio ne bougeait pas. Debout, près de la table où se trouvait le téléphone, il se contentait de la regarder et de l'admirer; il s'imprégnait de ce rire facile, de toute cette joie de vivre. Les objets banals pourtant uniques parce qu'ils les aimaient formaient un petit monde les entourant de leur simplicité. Les bibelots de Limoges fabriqués au Paraguay, le coucou vaudois *made in* Hong Kong, le tapis pseudo-persan, les deux fauteuils similicuirs placés devant le téléviseur de vingt-neuf pouces, la pile de revues de mode et de jardinage, la Cène gravée en haut-relief sur une plaque de cuivre suspendue au-dessus d'une fausse cheminée. Posé sur un meuble bas, un téléphone noir ressemblait à une idole trapue, saturée d'une force mystérieuse. Lúcio s'imaginait valsant avec elle sur le pont d'un navire ancré devant une longue grève bordée de cocotiers.

Il était marié depuis cinq ans et rien ne troublait l'intensité de son amour. Chaque jour, il la revoyait pour la première fois. Chaque nuit, il la redécouvrait. Un nouveau parfum, un millimètre de peau soyeuse, une sensation étrange, une caresse timide. Il explorait son corps par petits à-coups irréguliers, sans hâte, émerveillé par ses trouvailles, persuadé de ne jamais arriver à la connaître pleinement, sans se douter de la tempête qui agitait cette femme exubérante, laquelle manifestait ses sentiments sans retenue. Bien souvent, elle le troublait jusqu'à la crainte.

Ils travaillaient dur : elle était secrétaire d'une firme d'importation de machines agricoles et lui, contremaître dans une usine de production de feuilles d'acier laminé. Une rencontre banale chez des amis communs, lors d'un dîner d'anniversaire. Leurs regards qui s'étaient croisés au-dessus d'une table lourde de victuailles, dans un charivari de rires, de conversations et de cris d'enfants. Un amour banal, né dans des conditions banales. Depuis lors, ils ne s'étaient plus quittés. Une chambre d'hôtel abrita leur première nuit. L'obscurité dissimula son manque d'expérience amoureuse et sa peur de lui déplaire, de ne pas être à la hauteur. Il satisfit mal sa fougue, mais le matin, en ouvrant les yeux, il découvrit à ses côtés une belle jeune fille qui dormait comme un ange. Le mariage scella cet amour qu'ils croyaient éternel. Cinq ans plus tard, rien ne semblait avoir changé. Ils se quittaient le matin, avides de se retrouver le soir. Le minuscule appartement qu'ils avaient d'abord loué avait été remplacé par une maisonnette ocre, agrémentée d'un jardin où les mains magiques de Lúcio faisaient croître des légumes, des herbes aromatiques et une foison de fleurs. Un chat de gouttière les fréquentait journellement en échange d'une soucoupe de lait. Les enfants étaient prévus pour plus tard.

Rien n'avait changé, si ce n'était cette étrange inquiétude qui tourmentait de plus en plus Maria et qu'elle dissimulait soigneusement. Malgré la virilité sans faille, mais sans imagination, de son mari, elle sentait une sourde frustration ronger sa tranquillité. Elle attendait quelque chose qui n'arrivait pas. Les ébats nocturnes la détendaient, lui faisaient passer une bonne nuit. Mais rien de plus. Elle regardait furtivement d'autres hommes et s'imaginait couchée avec eux, parfois avec plusieurs en même temps. Des bras l'enlaçaient, des mains la pétrissaient, des doigts et des sexes la pénétraient, des langues la léchaient. Elle en avait le souffle court quand elle passait devant un des cinémas pornos du centre-ville. Les affiches, montrant des femmes et des hommes aux membres entremêlés, faisaient faiblir ses jambes et battre son cœur. Elle avait envie de visionner un de ces films, de franchir ces portes où les hommes entraient en baissant la tête et en regardant discrètement autour d'eux. Elle repoussait, horrifiée, ces images d'une sexualité sans censure qui semblait l'attirer dans une spirale de plaisirs inimaginables. À chaque fois, la honte la submergeait. Elle avait l'impression que tout le monde lisait sur son visage ce qui se passait dans sa tête.

Elle évitait alors la compagnie de ses amis et de sa famille et ne répondait que par de vagues onomatopées aux questions anxieuses de Lúcio. Elle avait d'abord cherché de l'aide du côté de l'Église, comme on le lui avait enseigné à l'école. Dieu lisait peut-être en elle comme dans un livre ouvert, mais que dire du curé, de cet homme en jupe, au regard fuyant? En confession, elle n'arrivait pas à parler. La simple pensée de discuter de son problème avec une personne qui n'avait qu'une idée vague du sexe la paralysait. Elle s'était ensuite tournée vers Lúcio. Mais à chaque tentative de lui dévoiler ses fantasmes, les mots lui restaient dans la gorge. Elle imaginait trop bien son incrédulité, puis son rejet. Elle se taisait, car elle avait trop peur de perdre son mari.

Pourtant, à la tombée du jour, quand la lumière mauve de la nuit citadine se déversait sur leurs corps, quand s'allumaient les fenêtres responsables de tant d'insomnies, que glissaient les phares sur les rivières d'asphalte et que s'enflammaient les brasiers improvisés dans des barils d'essence, leurs mains découvraient d'antiques nouveautés, des régions connues, mais pas encore tout à fait découvertes, des plaisirs aigus toujours inédits. Leurs bouches ne se détachaient qu'à bout de souffle, poitrines haletantes, cœurs battant fort. Leurs doigts se plaisaient à deviner des formes, des volumes, des creux et des chemins, un corps plein de senteurs qu'ils parcouraient jusqu'à ne plus avoir soif. Leur lit devenait un monde à part, clos, sans passé et sans futur. Rien n'existait alors, que le moment fugace de l'amour fou. Rien d'autre!

Elle chevauchait son sexe en murmurant des mots sans suite et sans fin pendant que ses cheveux balayaient follement l'espace. Ses ongles s'enfonçaient dans sa peau. Puis, elle se détachait de lui, gémissant de frustration — ce qu'il prenait pour une marque de satisfaction — et se laissait couler sur le matelas. Couchée sur le dos, elle s'abandonnait aux mille rumeurs de la nuit tropicale: les hou! hou! de la chouette qui nichait dans la soupente, le frou-froutement des feuilles du grand figuier prouvant qu'un vent léger soufflait quelque part, les ronflements des voitures libérées des embouteillages, un aboiement, un cri, parfois une musique, lointaine. Elle se collait contre le flanc de l'homme assoupi pour sentir sa respiration, mélanger sa sueur à la sienne, un peu honteuse de l'intensité de son désir, effrayée par l'impossibilité de lui résister. Elle ne se reconnaissait plus dans cette femme sordide qui affleurait parfois et qu'elle repoussait avec horreur au plus profond de son être. Qui était cette inconnue qui exigeait un monde de sexe que son mari ne réussissait pas à assouvir?

Lúcio n'apaisait pas ce désir qu'elle-même ne réussissait pas à cerner. L'imagination érotique de son mari était aussi limitée que son expérience des femmes. Elle s'étonnait encore d'avoir épousé un homme qui était encore vierge à l'époque de leur première rencontre, en dépit de ses vingt-six ans. Puceau et limité par son éducation où les femmes étaient considérées comme de fragiles vases sacrés, des êtres bizarres destinés à mettre au monde les enfants nécessaires à la perpétuation de l'espèce. C'était donc elle qui prenait l'initiative des changements de position ; c'est elle qui osait essayer de nouvelles façons d'aimer, qui demandait une caresse différente, qui disait tout bas des choses qui la laissaient pantelante. Il ne semblait pas mécontent de ses initiatives, mais s'esquivait, la plupart du temps, quand venait son tour de la satisfaire. Elle le sentait gêné, timide, mal à l'aise. Elle avait alors envie de le frapper, de crier, de pleurer, de le traiter de pédé et de lui demander s'il avait besoin d'une femme ou bien d'une mère. Ses accès de rage et de frustration ne duraient jamais longtemps, mais ils laissaient derrière eux une sensation de malaise physique presque insupportable.

Il lui avait fallu du temps et de la patience pour lui enseigner ce qu'on pouvait faire avec les lèvres et la langue. Il ne s'y était jamais habitué ! Il la laissait faire, couché sur le dos, fixant le plafond, pétrifié par son audace. Il donnait l'impression de penser à autre chose, à son travail, à son jardin, à n'importe quoi, mais pas à cette femme amoureuse qui gémissait, couchée sur son ventre. Quand elle poussait la tête de son mari vers son sexe, il le léchait comme on lèche une crème glacée, de façon rythmée et totalement dépourvue d'imagination. Après ce contact intime avec les poils noirs et soyeux qui recouvraient le pubis de son épouse — le mot « femme » étant grossier, selon lui —, il s'empressait d'aller se laver les moustaches. Tandis qu'elle criait et se débattait en mouvements convulsifs qu'elle ne cherchait plus à réprimer, lui jouissait sans grands transports, lâchant en général un râle prolongé qui s'éteignait avec la dernière goutte de sperme. Il l'aimait pourtant et le lui répétait sans cesse, mais sa formation catholique le coinçait. Dans sa tête, l'univers et son contenu étaient divisés : choses normales et choses anormales, choses permises et choses non permises. Surtout non permises.

Maria riait de plus belle en examinant les billets d'avion que Lúcio avait retirés d'une enveloppe marron.

— C'est pas vrai, finit-elle par dire. T'es complètement givré. Nous n'avons pas les moyens…

— T'occupes des moyens ! C'est mon affaire. Nous y allons vraiment. Nous prenons nos vacances en mars et en avril. Imagine ! Là-bas, ce sera le début du printemps. Les fleurs qui s'ouvrent, les feuilles qui poussent, le soleil qui brille. Puis, c'est hors saison. Tout est moins cher et nous n'avons pas besoin de réserver les chambres d'hôtel.

Un doute voila le bonheur qui jaillissait des yeux de Maria.

— Mais, est-ce qu'il ne fait pas trop froid à cette époque ?

— Crois-tu ? Un peu frisquet. C'est tout. Un bon chandail, et le tour est joué. De toute façon, tu apportes ton manteau.

Elle devint soudain soucieuse.

— Quand partons-nous?

— C'est écrit sur le billet que tu tiens dans tes mains. Le 18 mars. Nous revenons le 15 avril.

Elle parcourut des yeux le petit carnet rempli de chiffres et de codes mystérieux. Elle ne réussit qu'à trouver son nom. Elle lui rendit l'enveloppe.

— Trop compliqué pour moi. Puis rien n'est écrit en portugais. Je te fais confiance.

Elle se mordit la lèvre inférieure, pensive.

— Ça nous laisse seulement deux mois pour tout préparer. Je t'avoue que j'ai un peu le trac. Nos premières vacances à l'étranger. Tu es sûr qu'on va nous comprendre?

— Ne t'en fais pas. Aujourd'hui, on trouve un peu partout des gens qui parlent notre langue. Le portugais est devenu important. C'est la cinquième langue la plus parlée dans le monde.

— Tu charries!

— Pas du tout. Mais comme une Brésilienne prévenue en vaut deux, je t'ai aussi apporté un petit cadeau qui pourra t'être utile.

Elle déchira l'emballage marqué du logo d'une grande librairie.

— Un dictionnaire de poche! s'exclama-t-elle. Et un guide!

— Et à la fin du guide, que penses-tu qu'on trouve? Quelques pages remplies de conversations pratiques. Toutes les phrases du quotidien. «Combien est-ce que ça coûte? Avez-vous une chambre pour deux personnes? Où se trouve le musée? Je veux un pain aux raisins, s'il vous plaît. » Ah oui, n'oublie jamais le « s'il vous plaît ». Rien que cette expression, ça vaut la moitié d'un paragraphe.

Tout en riant comme des fous, ils essayèrent de se demander si le petit-déjeuner était inclus dans le prix de la chambre et s'il pouvait être servi au lit, si la séance de cinéma commençait bien à vingt heures, et si l'établissement servait des raviolis à la sauce tomate. Leurs bouches peinaient à prononcer les syllabes étrangères, mais au bout de vingt minutes d'entraînement, ils estimèrent qu'ils maîtrisaient la langue et qu'ils avaient appris suffisamment de mots pour leur permettre d'affronter n'importe quelle situation.

— Génial ! s'exclama Maria. Pour ce qui est de la causerie, nous sommes parés. En nous entraînant une demi-heure, tous les jours, jusqu'au départ, nous passerons pour des natifs de l'endroit.

Elle ne semblait toutefois pas encore rassurée.

— Comment fait-on avec l'argent ? Est-ce qu'on ne risque pas de se faire dévaliser en le trimbalant sur nous ?

Lúcio sourit malicieusement.

— Tu sais, on ne va pas à Rio, ni à Bogotá. Où nous nous rendons, le danger n'est pas bien grand. On peut se balader en ville, en pleine nuit, sans problème. Et puis, transporter du cash, ça fait vieux jeu. Un peu d'argent de poche, tout au plus. Pour payer l'autobus ou le métro ou pour boire une tasse de café. On réglera le reste avec ceci. Je suppose que tu connais ça ?

Il brandit un petit rectangle de plastique doré qui brillait sous la lumière frisante de la fin de l'après-midi.

— Une carte bancaire, constata-t-elle avec un air dépité. Elle sert aussi à l'étranger?

Le visage de Lúcio se plissa d'amusement.

— Femme, tu contemples une carte de crédit internationale acceptée par les hôtels du monde entier, ainsi que par la plupart des magasins. Avec ça, pas de danger de voir notre argent s'envoler. En cas de perte ou de vol, l'émetteur est tenu de nous la remplacer dans un délai maximum de vingt-quatre heures. Satisfaite? Bon! Alors, il ne reste plus qu'à plier bagage et à nous envoler.

Dans le jardin, dissimulées sous les feuilles du figuier, les cigales s'en donnaient à cœur joie. Elles remplissaient la maison d'un concert assourdissant. D'où viennent-elles? se demanda Lúcio. Comment survivent-elles avec cette pollution où ne prospèrent que les rats, les blattes et les êtres humains? Il ferma les yeux et se laissa imprégner par le bruit que faisait le mouvement des élytres.

⚏⚏

Deux mois passèrent. Lúcio et Maria s'étaient laissé emporter par le tourbillon de leur travail respectif et les préparatifs de la grande aventure. Leurs familles et leurs amis, tous d'origine modeste, les considéraient comme d'audacieux personnages, quelque peu effrayés par leur décision. Un brin d'envie perçait aussi dans les conversations. Dans leur quartier, ils étaient les premiers à sortir du pays, à se rendre à l'étranger. Et pas n'importe quel *étranger*! Un étranger tellement lointain qu'il fallait onze heures d'avion pour y arriver. Un étranger froid, où les arbres perdaient toutes leurs feuilles, où les gens ne parlaient pas portugais. De mémoire de voisin, personne n'était jamais allé plus loin qu'à la frontière du Paraguay. Pas pour y passer des vacances, mais pour y acheter au rabais du whisky falsifié, bu entre les claquements de langue de faux appréciateurs, et des jouets bon marché qui avaient échappé à la vigilance des douaniers, et que l'on revendait à Noël dans les rues torrides de la ville. Pourtant, tout le monde en rêvait de ce pays froid, tellement civilisé, tellement *premier monde*. On se demandait d'ailleurs comment les gens vivaient dans une telle utopie, sans crime, sans papier jonchant les trottoirs, sans grilles à toutes les fenêtres. Des gens propriétaires de leur maison et de leur voiture, qui ne se préoccuppent pas éternellement du lendemain, qui ont de bons hôpitaux et de bonnes écoles à la disposition de toute la population, qui sont protégés par des policiers courageux et qui sont gouvernés par des politiciens incorruptibles. Le paradis, quoi! Maria et Lúcio allaient connaître cet éden pendant quatre longues semaines, tout seuls, à l'aventure, armés de leur jeunesse et de leur amour. Et munis d'un peu d'argent, péniblement épargné.

Puis, ce fut la veille du départ. Les amis rentrèrent chez eux après un dernier verre de bière et les recommandations habituelles. «Ne mangez pas n'importe quoi, ne mangez pas n'importe où. Méfiez-vous des inconnus trop aimables. Regardez si les draps du lit de l'hôtel sont propres. N'oubliez pas de nous envoyer des cartes postales.»

L'air surchauffé leur collait à la peau. Le grondement continu des voitures perturbait le silence de la nuit, mais ils en avaient tellement l'habitude qu'ils ne l'entendaient même plus. Dans ce lit étroit, où ils se touchaient chaque fois qu'ils bougaient, leurs bouches se retrouvaient, leurs mains se tâtaient, leurs corps se mélangaient. Maria resta couchée sur le dos, baignée de sueur, les yeux grands ouverts. Lúcio ronflait doucement. Elle en voulait encore, avec d'autres hommes. Désir. Frustration. Elle ne savait plus qui elle était. Cette femme aux appétits bizarres: ce n'était pas elle. Elle s'endormit, une main posée sur son sexe moite et sensible.

Et Chico se proposa de les conduire à l'aéroport, dans sa vieille Fiat délabrée. Ils eurent du mal, avec leurs bagages, à s'y entasser. À travers les fenêtres et les portes, ou près de la vieille guimbarde, les voisins les observaient. Deux ou trois personnes avaient la larme à l'œil, comme si elles perdaient des proches bien intentionnés, ceux qui ne font jamais de bruit, ceux qui aident les autres, ceux chez qui le sel et le sucre ne manquent jamais.

Ils traversèrent São Paulo au ralenti, embourbés dans le trafic monstrueux de la capitale. Nerveux, Lúcio consultait à tout moment sa montre. Tous les véhicules semblaient converger vers l'avenue qu'ils devaient prendre.

— Dis, tu es sûr qu'on arrivera à temps? Ton tacot, il roule pas des masses.

Chico le regarda, offensé.

— C'est pas ma voiture qui est lente. C'est la ville. Si tu veux aller plus vite, faut lui faire pousser des ailes.

— À la ville?

Chico le fusilla du regard.

— Crétin! On a cinq heures devant nous pour y arriver à ton aéroport, mec. Si tu crois que c'est pas assez, j'te conseille d'y aller à pied. Y'a aussi un service d'hélicoptères qui coûte pas cher. Ou alors, ces ailes, tu te les fais pousser où je pense!

Assise sur la banquette arrière de la voiture, Maria gloussait d'amusement.

Les gratte-ciel formaient des forêts de métal, de ciment et de verre qui se penchaient pour observer leur lente reptation. Partout, la foule se bousculait, étouffée par une pollution toute-puissante qui fondait les bleus du ciel en un gris uniforme. Les sens ne s'excitaient plus, avec tous ces stimuli qui arrivaient de toutes parts. Klaxons, rugissements de moteurs, fumées de pots d'échappement, panneaux publicitaires vantant les produits les plus divers, feux rouges superposés, vitrines pleines de came-lotes, fils électriques et téléphoniques enchevêtrés dans un gigantesque labyrinthe.

Le regard de Maria fut tout à coup attiré par une affiche suspendue à un poteau. On y voyait le visage d'une femme, d'une vieille femme, ce qui provoquait un contraste saisissant et désagréable avec les beautés souriantes et peu vêtues qui peuplaient les panneaux accrochés aux façades et posés sur les toits. Maria réussit à lire le court texte qui accompagnait la photo.

«*Madame Déborah, voyante extra-lucide.*
Pouvoirs paranormaux.
Votre futur dans les lignes de vos mains.
Tarot.»

Justement, quelque chose dans son futur l'effrayait. Elle ne savait pas s'il s'agissait d'elle ou du voyage. Elle ne comprenait plus son propre corps. Était-il perturbé par des excès hormonaux ou était-ce son âme qui s'ouvrait maintenant aux clameurs de désirs réprimés?

À leur gauche, l'espace s'ouvrait soudain sur le Tiétê et ses eaux huileuses. Là où les édifices n'arrivaient pas à pousser, sans doute par manque d'oxygène, les favelas se reproduisaient à volonté dans la puanteur des égouts. À perte de vue s'étendait l'autre São Paulo, celui de la misère, de la maladie, du désespoir que le couple s'efforçait de ne pas voir pour ne pas gâcher son départ.

À son tour, Chico les abreuva de bons conseils: attention aux courants d'air et aux malfrats — il devait bien y avoir les deux dans ce pays de cocagne —, attention de ne rien oublier dans les hôtels, de ne pas manger de saloperies et de ne pas trop boire d'alcool... comme si normalement ils étaient ivrognes. Les mots s'envolaient dans le vent torride qui entrait par les fenêtres baissées, accompagné par les mille odeurs émises par cette cour des miracles qui les cernait de toutes parts.

Assis à côté du conducteur, Lúcio sentait le doute l'assaillir. Le doute, et la peur aussi devant cet inconnu qu'il devrait bientôt affronter. Il ne l'avait confié à personne, mais avec ce voyage, il avait voulu en mettre plein la vue à sa bien-aimée, histoire de montrer de quoi il était capable. N'aurait-il pas mieux fait de choisir une destination intérieure? Les plages du Nord-Est, par exemple. Ou les montagnes du Sud? Ou l'Amazonie? Des paysages qui changeaient à l'infini dans un pays sans limites, à portée de main, à l'intérieur de frontières sûres, où l'on parlait partout la même langue. Mais il ne lui restait plus qu'à fuir en avant puisque c'était dans cette direction que la vieille guimbarde les poussait, vers l'aéroport international, vers ce pays où il faisait chaud en juillet et où la glace immobilisait les fleuves en hiver.

Maria refoula les images érotiques que son imagination ne cessait de produire. Elle ne se posait pas les mêmes questions que son homme. Elle le suivait où il le voulait, dans ce pays ou dans un autre. Cette attitude, ce n'était pas de la soumission, bien au contraire. Elle devait protéger Lúcio, le dorloter, lui faire sentir qu'il était beau et qu'il était fort, qu'il était le mâle, et non pas un gamin perdu qui avait peur des femmes. Mais pour l'heure, elle se demandait si elle n'avait rien oublié : une lampe allumée, une fenêtre ouverte, un robinet qui coulait. Heureusement, sa mère passerait tous les deux jours pour ouvrir la maison, pour l'aérer et pour donner l'impression qu'elle était occupée. Par les temps qui couraient, on ne prenait jamais assez de précautions, bien qu'il n'y ait pas grand-chose à voler chez eux. Idem pour les valises. C'est elle qui les avait rangées ; elle avait beau connaître par cœur leur contenu, elle était certaine qu'il manquait quelque chose d'important, mais elle n'arrivait pas à mettre le doigt dessus. Ses préoccupations domestiques luttaient avec un succès tout relatif contre les étranges pensées qui la hantaient.

La voiture s'engagea dans l'échangeur de l'autoroute qui menait à l'aéroport. Les favelas cédèrent le pas à de grands espaces ouverts, où poussait un gazon bien entretenu. Les panneaux publicitaires changèrent subtilement. On ne parlait déjà plus de lait en poudre, de supermarchés ou de soutiens-gorge. La technologie de pointe sévissait toute-puissante sur les immenses affiches. Téléphone cellulaire de dernière génération avec écran couleur. BMW équipée du système GPS, appareils photo numériques à haute résolution, *palmtop* à matrice active... Autour d'eux, les gens changeaient déjà. Ils devenaient plus snobs, plus sophistiqués, plus riches. Qui a encore besoin d'argent si les cartes Amex ou Visa permettent toutes les folies, où que vous soyez ? On sentait déjà le premier monde tout proche, à portée de vol de ces oiseaux géants dont les queues multicolores dépassaient des toits des hangars.

— On y est, annonça Chico en se garant devant la porte du secteur des départs. On a intérêt à ne pas trop traîner. Je ne sais pas combien de temps j'ai le droit de stationner ici.

Deux grosses valises et deux bagages à main s'alignaient sur le trottoir. C'était peu, comparativement à la montagne de malles qui sortaient d'une Mercedes noire tout juste garée derrière eux. Un porteur s'avança, proposa ses services et s'emparait déjà de leurs biens. Lúcio ne savait pas quoi faire. Chico le tira d'embarras avec un «non, merci!» très sec.

— J'ai été conducteur de taxi, expliqua-t-il. Je sais comment il faut les prendre ces gars-là.

Il leur montra alors une file de chariots alignés contre le mur de l'aéroport.

— Ne jamais payer pour ce qu'on peut faire soi-même, ajouta-t-il avec un air entendu. Faut surtout pas avoir l'air con ou tout un tas de petits malins te sautent dessus.

Les adieux furent brefs. Chico remonta dans sa voiture. Un bras sortit de la fenêtre et s'agita en signe d'adieu. Avec un pincement au cœur, Maria et Lúcio regardèrent la vieille Fiat disparaître. Et s'ils invitaient Chico *qui sait tout* à partir avec eux?

CHAPITRE II

Comme on entre dans une cathédrale, Maria et Lúcio franchirent la porte vitrée et pénétrèrent lentement dans le grand salon de l'aérogare, en silence, avec respect et recueillement. L'endroit était immense, plein de lumières, de bruits et de gens.

— Vous permettez?

Une vive douleur traversa le tendon d'Achille du pied droit de Lúcio. Il avait été heurté de plein fouet par le bord d'un chariot. Il se retourna rapidement en serrant les dents. Appuyé contre l'engin, un homme vêtu d'un complet gris bien coupé le regardait, l'air blasé.

— Vous permettez? répéta ce dernier. Vous obstruez l'entrée.

La douleur de son talon s'estompait. Il n'y avait rien à répondre. L'individu n'avait même pas remarqué qu'il lui avait fait mal. Lúcio s'écarta en boitillant. Une longue queue serpentait devant chacun des six guichets du comptoir de la compagnie. L'attente fut longue, au milieu d'une humanité qui semblait indifférente au passage du temps et qui progressait par à-coups en poussant du pied des valises aux formats les plus divers. Finalement, une femme cessa de ranger de petites étiquettes, leva la tête et leur fit signe d'avancer.

— Oui?

Ce oui pouvait être interprété de deux manières. «Qu'est-ce que je peux faire pour vous?» ou «Qu'est-ce que vous me voulez?» Dans le doute, Lúcio lui tendit les billets.

— Vos passeports, s'il vous plaît.

— Vous voulez... vous avez besoin de nos passeports maintenant?

— Évidemment. Sinon, comment voulez-vous que je sache si les noms qui figurent sur les billets sont bien les vôtres?

— Passe-moi les passeports, ordonna-t-il à Maria.

— Ils sont dans ta poche.

Il tâta sa poitrine, les jambes molles, certain de les avoir oubliés. À sa grande surprise, il les trouva à leur place, dans la poche intérieure de son veston.

— Placez vos bagages sur la balance, s'il vous plaît.

Lúcio remarqua que la préposée était plutôt jolie. Derrière elle, un tapis roulant entraînait une kyrielle de valises, de sacs et de boîtes vers une destination mystérieuse. Il ne vit aucune balance.

— Ici, dit-elle avec un sourire amusé, tout en la pointant. Entre les deux comptoirs, ajouta-t-elle.

Il s'exécuta, le front moite de sueur. Elle lui remit les billets et les passeports, puis lui tendit deux cartes, sorties d'une imprimante.

— Vos cartes d'embarquement. Porte 11, à neuf heures.

Il resta immobile, passeports et billets dans une main, cartes d'embarquement dans l'autre, ne sachant pas quoi faire. Des murmures d'impatience s'élevèrent dans la queue formée derrière Maria.

— C'est votre premier voyage international? demanda la jeune fille.

Lúcio secoua la tête. C'était son premier voyage, tout court. Il ne connaissait même pas son propre pays.

— Vous pouvez ranger vos billets et vos passeports. Vous n'en aurez plus besoin, maintenant. Quand on vous le demandera, vous montrerez votre carte d'embarquement. Une fois la police fédérale passée, les portes d'accès aux avions sont clairement indiquées. Vous ne pouvez pas vous tromper.

Un grand sourire illumina son visage.

— Bon voyage, leur souhaita-t-elle d'une voix chaleureuse.

Ils s'éloignèrent lentement.

— Placez vos bagages à main sur le tapis roulant ainsi que tous les objets métalliques que vous portez sur vous. Mettez vos pièces de monnaie dans cette boîte, ensuite avancez.

Les trois agents fédéraux les dévisageaient, impassibles. Le détecteur de métal émit un son strident. Lúcio se figea sur place.

— Veuillez écarter les bras et les jambes, s'il vous plaît.

Un des policiers passa une espèce de raquette sur tout son corps. L'appareil émit quelques bips au niveau de la poche de son pantalon.

— Qu'est-ce que vous avez là-dedans ?

Dans sa position de crucifié, Lúcio se sentait de plus en plus ridicule. Il retira de sa poche un coupe-ongles.

— Vous ne pouvez pas embarquer avec cet objet !

Le ton du policier était sans réplique.

— Mais pourquoi ? osa demander Lúcio.

— Parce que cet objet peut servir d'arme.

Le regard de Maria, qui venait de franchir le détecteur sans incident, croisa celui de son mari.

— Une arme ? murmura-t-elle. Un coupe-ongles, une arme ? Mais, c'est impossible, voyons. Ce n'est pas sérieux !

— Nous n'allons pas passer le reste de la soirée à discuter, reprit le policier. Qu'est-ce que vous voulez en faire ?

— Qu'est-ce qu'on peut en faire ? demanda Lúcio, abasourdi. Je ne savais pas que je portais une arme.

— Je veux bien vous croire.

L'agent parlait d'une voix moins autoritaire.

— Mais nos ordres sont formels. Pas de métal à bord des avions. Vous avez trois possibilités. Ou vous ressortez et remettez l'objet à un ami. Ou vous rangez l'objet dans votre bagage à main et vous l'envoyez dans la soute. Ou bien vous abandonnez l'objet ici.

Lúcio contemplait son coupe-ongles d'un regard suspicieux. Son coupe-ongles une arme ? Il s'imagina le brandissant de façon menaçante pour braquer une banque ou pour détourner un avion. En quel endroit fallait-il frapper pour tuer quelqu'un avec cet instrument qui devenait, de seconde en seconde, plus dangereux ? Il le tenait maintenant du bout des doigts pour ne pas donner l'impression de menacer les policiers qui ne semblaient pas le moins du monde effrayés.

— Décidez-vous. Des gens attendent derrière vous.

L'aéroport se métamorphosait en une gigantesque usine à longues files humaines, lesquelles étaient formées par des gens impatients qui poussaient toujours en avant leurs prédécesseurs en leur envoyant des valises dans les jambes.

— Gardez-le, dit Lúcio, finalement. C'est pas grave. À propos, la porte 11, vous savez où ça se trouve ?

Un des policiers le toisa, indigné.

— Il y a un comptoir de renseignements au fond du couloir, à votre gauche. Ils vous diront où aller.

Ils trouvèrent sans trop de difficultés la salle encore vide qui donnait accès à la porte 11. Lúcio consulta sa montre.

— Trois heures à attendre. Et si on cassait la croûte ? J'ai repéré un bistro.

Le bar était tout en miroirs et en velours rouge. Peu de tables étaient occupées. Ils mangèrent en silence. La fraîcheur du pain laissait à désirer, le goût du fromage brillait par son absence et il ne manquait que des glaçons pour refroidir encore plus le café. L'addition, par contre, fut salée. Maria fronça le nez et s'adressa à la serveuse.

— Vous êtes certaine de ne pas vous être trompée de table?

— Je vérifie, dit cette dernière. Deux sandwichs au fromage, une bouteille d'eau minérale et deux cafés crème. C'est bien ça. Pas d'erreur. Pourquoi?

— Parce que ce que vous nous avez servi était infect et que cette nourriture infecte coûte cher, beaucoup trop cher.

— Les prix sont affichés à l'entrée, Madame. Quant à la cuisine, ce n'est pas de mon ressort. Je vous recommande de vous plaindre auprès de la direction de l'établissement si vous n'êtes pas satisfaite.

Lúcio posa la main sur le bras de sa femme et l'empêcha de répondre.

— Laisse, dit-il. C'est moi qui paye.

❊

La salle d'attente grouillait maintenant de monde. Les gens bavardaient, lisaient ou regardaient, par une grande baie vitrée, le tarmac illuminé où des nains s'affairaient autour d'un monstre d'acier aux formes aérodynamiques.

Un haut-parleur annonça leur départ imminent. Une file se forma rapidement devant un comptoir qui barrait l'entrée. Ils se retrouvèrent bientôt devant un employé revêtu de l'uniforme de la compagnie.

— Vos passeports, s'il vous plaît.

— Je vous demande pardon?

— Vos passeports, s'il vous plaît.

— Mais, on nous a informés qu'on n'en avait plus besoin, que la carte d'embarquement suffisait.

— On vous a mal informé, Monsieur.

Encore ces maudits passeports! Sa main revint vide de la poche intérieure de son veston. De la sueur perla sur son front.

— C'est toi qui les as! dit-il à Maria, qui se contenta de secouer la tête.

Il avait perdu les documents. La panique le submergea. Le voyage finissait, avant même d'avoir commencé. Refoulés à l'intérieur de leur propre pays, qu'allaient-ils raconter à leurs familles, à leurs amis, à leurs voisins? De plus, les billets n'étaient pas remboursables. Il entreprit de fouiller dans toutes ses poches. Il retrouva les billets, les cartes et les passeports à l'endroit où son agent de voyage lui avait expressément conseillé de ne rien mettre. Il entendit derrière lui quelques remarques désobligeantes à propos de paysans qui prennent l'avion pour la première fois et qui feraient mieux de se payer un voyage organisé pour n'emmerder personne. Il les ignora complètement.

Deux hôtesses les attendaient à la porte de l'avion. Il leur présenta les passeports.

— Vos cartes d'embarquement, s'il vous plaît.

Des rangées de sièges s'étendaient devant eux. D'abord des sièges larges et séparés par d'énormes accoudoirs. Ils devenaient de plus en plus étroits et de plus en plus serrés les uns contre les autres, à partir du milieu de l'avion. Stratégiquement postée, une autre hôtesse leur indiqua leurs places. Tandis qu'ils déposaient leurs bagages dans le compartiment supérieur, une autre file de gens impatients se formait déjà dans l'étroit couloir.

— Tu veux t'asseoir près de la fenêtre? demanda Lúcio, galamment.

— Non. Il fait noir. Il n'y a rien à voir.

Lúcio dormait comme une souche en ronflant légèrement, recroquevillé sur son siège. Maria n'arrivait pas à trouver le sommeil, préoccupée par les changements de régime des turbines et par la noirceur absolue du hublot où ne clignotait que la lumière rouge de l'extrémité de l'aile. Elle essaya de lire une revue et comprit bien rapidement qu'elle se trouvait déjà à l'étranger. Elle se contenta donc de regarder les photos. Après le souper, elle visionna un film, mais ne put déchiffrer les mystères des commandes de son fauteuil. Quand elle réussit à enfoncer les fiches de ses écouteurs au bon endroit, elle ne trouva pas la chaîne portugaise. Elle s'enroula dans une couverture trop courte pour la recouvrir complètement et sombra dans une mauvaise somnolence en pensant qu'ils avaient réservé une chambre d'hôtel pour quatre jours seulement. Après, ce serait vraiment l'aventure avec un A majuscule. Devant elle, entre deux têtes, l'écran brillant la transporta quelques années en arrière.

Elle ignorait ce qu'elle regardait. Son cœur battait à tout rompre. Les éclats de lumière produits par la pellicule formaient un kaléidoscope hypnotique qui l'empêchait de bouger. La main de l'homme, posée sur son genou, remontait, sans se presser, sa fine jupe de lin. Elle réussit à détacher les yeux de l'écran et tourna lentement la tête dans sa direction. Il regardait droit devant lui, comme s'il était inconscient de sa présence et de ce que faisait sa main maintenant posée sur sa chair nue. Elle avala péniblement sa salive et trouva au fond de ses poumons un reste d'air qui l'empêcha d'étouffer. Il fallait qu'elle repousse cette main, qu'elle se lève et qu'elle s'en aille, mais les forces lui manquaient et un poids insurmontable la clouait dans son fauteuil.

Elle était entrée dans ce cinéma de quartier par hasard, davantage pour fuir la chaleur de la rue et la monotonie de son cours de piano, qu'intéressée par le navet américain vanté par les affiches et les photos exposées sur la façade de l'immeuble. Elle en avait pour une vingtaine de minutes à attendre la prochaine séance et se demanda s'il convenait de téléphoner à Luigi. Son ami de dix-sept ans, deux de plus qu'elle, ne se contentait plus de l'embrasser et de chercher sur sa poitrine des seins encore naissants. Il semblait de plus en plus captivé par le haut de ses cuisses et ne dissimulait même plus la grosse bosse qui tendait le devant de son jeans quand il la serrait contre son corps. Tout compte fait, elle préférait deux heures de solitude à devoir, à tout moment, repousser son entreprenant ami.

À quatre heures de l'après-midi, la grande salle était presque vide. Il y avait une place au fond, loin de possibles voisins, de quelques couples de vieux qui se parlaient en chuchotant, d'une dizaine de femmes et d'hommes aussi solitaires qu'elle, et de quatre adolescents qui buvaient du Coke et grigno-taient du pop-corn en chahutant haut et fort.

L'homme s'était assis à côté d'elle quand les lumières s'étaient éteintes. Il ne s'était pas laissé tomber sur le siège, mais s'était coulé dedans, d'un mouvement fluide qui donnait l'impression qu'il ne voulait pas déranger Maria, comme s'il s'excusait presque de devoir justement occuper cette place. Pendant une demi-heure, rien ne s'était passé, sinon un engourdissement étrange de tout son corps, la montée d'une anxiété presque agréable, une attente insupportable de quelque chose qu'elle appréhendait et qu'en même temps elle désirait. Elle tressaillit avec violence quand une main se posa sur son genou, mais n'ébaucha aucun mouvement de fuite ni n'émit aucun son.

Elle respirait la bouche ouverte, tel un poisson tiré hors de l'eau, quand l'extrémité d'un doigt toucha son sexe couvert d'un slip minuscule. Elle se souleva en projetant le ventre en avant pour l'aider à descendre sa petite culotte. Quand les lèvres de l'homme frôlèrent son pubis, le monde de Maria chavira. Il la laissa pantelante sans rien lui demander en retour, ni baiser ni caresse ; un fin sourire de satisfaction plissait ses yeux brillants dans l'obscurité. Il disparut dans le noir comme il en avait jailli, enrobé de mystère et de silence.

Elle revint plusieurs fois s'asseoir à cet endroit, les jambes molles, le désir à fleur de peau, mais ne le retrouva plus jamais.

Maria sursauta quand Lúcio la réveilla d'un baiser sur le front. L'omelette du petit-déjeuner leur brûla la langue, puis ils durent attendre leur tour, dans une bousculade limitée par l'étroitesse du couloir, pour se brosser les dents et faire un brin de toilette avant que l'avion n'entame sa descente.

CHAPITRE III

Les couloirs étaient bien fléchés, mais ils ne comprenaient pas les inscriptions accompagnant les flèches. Lúcio voulut sortir son dictionnaire, mais Maria l'en dissuada.

— Suivons les autres, dit-elle. Ils doivent récupérer leurs bagages, comme nous.

Ils circulèrent dans un interminable monde impersonnel, gravirent des dizaines de marches pour finalement se retrouver au sein d'une vaste bousculade.

— Encore des files, soupira Lúcio.

Comme la plupart des voyageurs brandissaient leur passeport, il décida d'en faire autant. Un jeune homme s'approcha d'eux, montra du doigt un avis placardé sur un mur, et leur dit quelques mots en désignant leurs documents.

— Mais qu'est-ce qu'il nous veut, celui-là?

— J'en sais rien, dit Maria. Il vaut mieux se méfier. Ignore-le.

Ils lui tournèrent le dos et s'approchèrent d'une cabine vitrée.

Quand leur tour arriva, il présenta les petits carnets verts à l'employée qui ne prit même pas la peine de les feuilleter. Elle pointa son doigt en l'air en indiquant une pancarte jaune. Il tenta en vain de la déchiffrer. Il finit par hausser les épaules et montra ses mains. La femme dit quelque chose d'un ton rude et pointa son doigt vers une autre cabine, située à leur gauche, devant laquelle une longue file s'était formée.

— Vous aussi, vous vous êtes trompés?

Leur prédécesseur, cheveux gris défaits et veston fripé, leur sourit aimablement. Ébahi, Lúcio se demanda par quel miracle il comprenait ce que l'autre disait.

— Vous parlez portugais, constata Maria.

— Évidemment. Je viens de Rio. Fichu voyage, hein! Je suis moulu. J'ai les jambes trop longues pour ces saletés de fauteuils d'avion. Et vous, vous venez d'où?

Maria aurait volontiers embrassé l'inconnu.

— São Paulo, dit-elle. Nous ne comprenons pas pourquoi la bonne femme du guichet voisin nous a envoyés ici.

Le sourire se fit plus large.

— Vous n'avez aucune notion de français?

Ils secouèrent ensemble leurs têtes.

— Anglais? Allemand?

— Non. Rien que le portugais.

— Vous voyez le panneau suspendu au-dessus de la cabine? Eh bien, il y est écrit que seuls les autochtones ont le droit de passer en dessous, tandis que nous, notre place est ici.

Ils attendirent en silence, trop fatigués pour reprendre la conversation.

— Bon, mon tour est arrivé.

Il leur serra la main.

— Je vous souhaite de bonnes vacances.

Le policier leur fit signe d'avancer. Il examina avec attention leurs passeports, page par page, ligne par ligne. De temps en temps, il consultait son ordinateur et pianotait rapidement sur un clavier que le couple ne pouvait pas voir. Finalement, l'employé leur demanda quelque chose. Lúcio arracha de sa mémoire les mots d'anglais qu'il avait appris par cœur.

— *No understand*, hasarda-t-il en roulant le r.

Le policier répéta la même question et obtint la même réponse. Il ajusta son képi et, d'un geste brusque, leur enjoignit de ne pas bouger — ce qu'ils n'auraient jamais osé faire — et quitta la cabine. Il revint immédiatement, accompagné par une femme de haute taille, sanglée dans un uniforme impeccable. Elle les regarda sans la moindre cordialité.

— Vous êtes Brésiliens?

Ils faillirent ne pas comprendre la question. C'était bien du portugais, mais chargé d'un tel accent qu'il en devenait presque inintelligible. Maria répondit timidement.

— Oui.

— Quel est le but de votre voyage? Qu'est-ce que vous venez faire dans ce pays?

Le ton cinglant était volontairement agressif. Le visage de la créature exprimait un mélange de mépris et de haine.

Maria digéra les questions et la grossièreté délibérée de son interlocutrice.

— Que voulez-vous dire?

— Êtes-vous venus pour travailler? Si oui, je dois vous avertir que vous n'avez pas le visa nécessaire et que l'immigration illégale est punie de lourdes peines de prison qui sont purgées avant votre expulsion du pays.

— Non!

Les deux femmes se toisèrent.

— Non, répéta Maria. Nous ne sommes pas ici pour travailler.

— Conclure des affaires?

Maria sentait la moutarde lui monter au nez. Mais que pouvait-elle répondre à cette mégère uniformisée?

— Nous sommes venus visiter votre pays. Nous sommes en vacances.

L'autre semblait avoir appris par cœur une série de questions qu'elle débitait, d'une voix monocorde, sans s'attarder aux commentaires des deux touristes. Elle leur demanda d'être précis, et surtout, de ne pas mentir. Les conséquences pourraient être désastreuses... pour eux, évidemment.

— Vous prétendez rester combien de temps?

— Mais qu'est-ce que ça veut dire, cet interrogatoire? Nous ne sommes pas obligés de répondre à vos questions.

— Oui, Madame ! Vous y êtes tenue par nos lois sur l'immigration. En cas de refus, il est en mon pouvoir de vous embarquer dans le premier avion en partance pour le Brésil. Vous n'aurez même pas le loisir de sortir de l'aéroport.

Maria contint le «je vous emmerde !» qui lui chatouillait la pointe de la langue.

— Quatre semaines.

— Avez-vous les moyens de vous permettre un séjour aussi long chez nous ?

— Cette question ! Évidemment ! Nous ne sommes pas ici pour mendier.

— Vous pouvez le prouver ?

Maria regarda Lúcio.

— Comment voulez-vous que je vous prouve que nous avons l'argent nécessaire ?

Le visage de la policière s'éclaira d'un sourire narquois. Elle glissa quelques mots rapides à son collègue qui se mit à sourire niaisement.

— Montrez-moi vos dollars ou vos chèques de voyage.

Maria fouilla dans son sac à main et lui tendit un petit carnet.

— Tenez ! C'est ça que vous voulez ?

— Exactement.

Elle compta les chèques.

— Trois cents dollars américains. Une vraie fortune. Que pensez-vous faire avec ce tas d'argent ?

— Mais qu'est-ce que vous nous voulez à la fin ? Nous n'avons aucune intention de dévaliser une banque.

— Mais travailler comme clandestin, peut-être ? Les Brésiliens sont de vrais spécialistes dans ce domaine. Chantiers de construction. Cireurs de chaussures. On vous trouve un peu partout.

Maria retint un autre «les Brésiliens vous emmerdent!» Sa patience diminuait avec l'augmentation de sa fatigue.

— Nous sommes en vacances, dit-elle. Nous travaillons au Brésil. Nous établir ici ne fait pas partie de nos plans.

— Si vous n'avez que trois cents dollars et que vous n'avez pas l'intention de travailler, vous n'avez pas les moyens de rester quatre semaines chez nous. Et, dans ce cas, nous ne pouvons vous recevoir.

— Attendez.

Lúcio se manifestait pour la première fois.

— Une carte de crédit internationale prouve que nous avons de l'argent ?

— Certainement. Si vous en possédez une, et si elle est valide.

Il lui montra le rectangle de plastique doré. Elle la saisit et la retourna plusieurs fois entre ses doigts.

— Dites donc, elle n'a pas l'air d'avoir beaucoup servi, votre carte.

La remarque exaspéra Lúcio.

— Parce que, si elle a un aspect neuf, elle a été volée ou falsifiée ? J'enterrerai la prochaine dans mon jardin, pendant quelques semaines, pour lui donner l'aspect d'une antiquité.

L'employée lui jeta un regard noir. Elle souleva le combiné d'un téléphone, tapa un nombre impressionnant de chiffres sur le clavier et attendit. La réponse dut s'inscrire sur l'écran. À contrecœur, elle lui remit la carte.

— Vos billets d'avion, s'il vous plaît.

Il y eut un long silence. Lúcio bredouilla :

— Nos billets ? Pour quoi faire ? Nous venons d'arriver.

— Écoutez, Monsieur, notre travail est d'empêcher les immigrants clandestins d'entrer. Jusqu'à présent, vous m'avez plus ou moins convaincu que vous avez assez d'argent pour passer quatre semaines ici. Votre carte de crédit ne prouve pas grand-chose.

Derrière eux, une file s'étirait jusqu'à l'embouchure du couloir d'accès.

— Avez-vous les moyens de retourner chez vous ? Supposons que vous dépensiez tout votre argent. Et qu'après, vous disparaissiez dans la nature. Ni vu ni connu. Deux clandestins de plus pour nous voler nos emplois. Et Dieu sait qu'on n'en a déjà pas de trop. Je veux être certaine que vous avez vos billets de retour.

Lúcio fouilla de nouveau dans ses poches.

— C'est suffisant, ça ?

— Ça, Monsieur, ce sont vos cartes d'embarquement. Elles vous ont été fournies par la compagnie aérienne à São Paulo. Votre présence ici prouve que vous avez bel et bien embarqué dans l'avion.

Maria se demandait ce qui arriverait si elle faisait disparaître le sourire condescendant de la policière à l'aide d'une bonne paire de gifles. La prudence lui conseilla de s'abstenir. De plus, Lúcio venait de retrouver leurs billets.

La femme les examina, les feuilleta et les lui rendit. Son acolyte estampilla les deux passeports.

— Bon séjour, leur souhaita-t-il.

Des passagers bien vêtus, téléphone portable collé à l'oreille, concluaient des affaires en marchant du pas vif de ceux pour qui le temps est aussi précieux que l'argent. Puis, il y avait les vrais voyageurs, ceux qui venaient de loin, reconnaissables à leur air hébété, à leur gueule de bois, à leurs gestes lents et à leur visage fripé. Des groupes de policiers arpentaient les salles et les couloirs, le visage fermé, le regard attentif. De temps en temps, une voix de femme répétait des flashs d'information aussi énigmatiques qu'indéchiffrables.

— Quoi, maintenant?

La fatigue se faisait sentir dans la voix de Lúcio qui traînait les pieds derrière Maria.

— On récupère nos valises et on file à l'hôtel, dit-elle.

Elle prenait doucement les choses en main.

— Mais qu'est-ce que cette conne nous voulait? demanda-t-il. C'est tout juste si elle nous a laissés entrer dans ce foutu pays. Tu as vu comment elle nous a traités?

— Faut la comprendre, émit Maria conciliante. Avec tous les clandestins et tous les terroristes qui circulent dans les aéroports... À ta place, je me sentirais plutôt protégée.

— Est-ce qu'on a une bouille de terroristes?

Elle prit un léger recul et le dévisagea longuement. Un petit sourire retroussa ses lèvres.

— Toi, peut-être. Avec tes joues mal rasées et ton regard mauvais. Ça me donne d'ailleurs un frisson très agréable. Tu m'expliqueras tes techniques ce soir, au lit.

— Elle n'avait pas l'air de chercher des terroristes, la bonne femme. Elle en voulait à notre pognon. Je me demande de quelle façon elle calcule ce qu'on doit pouvoir dépenser par jour pour survivre dans ce bled... Non, mais c'est vrai quand même. On ne peut pas traiter les gens de cette façon!

— Laisse tomber, veux-tu? C'est fini. On passe l'éponge.

Elle aperçut les tapis roulants autour desquels se bousculaient une foule de voyageurs.

— Il nous faut un chariot.

— Il y en a tout plein de ce côté-là.

Lúcio montrait une longue file de chariots, emboîtés les uns dans les autres. Il enchaîna:

— Surveille nos affaires. Je m'en charge.

Il constata que les engins glissaient sur une espèce de rail. Il tira le premier vers lui, mais quelque chose bloquait les roues. Il fit plusieurs tentatives, mais les chariots paraissaient soudés les uns aux autres. Il resta les bras ballants, ne sachant plus quoi faire.

Un homme lui demanda quelque chose, mais lorsque Lúcio vit son air ahuri, il lui fit comprendre par gestes qu'il désirait en retirer un. L'homme en empoigna un, lequel se détacha des autres sans difficulté. Lúcio essaya en vain de faire la même chose. Il recula de quelques pas et observa les autres touristes. Un autre voyageur introduisit une carte de crédit dans un appareil que Lúcio n'avait pas remarqué, saisit un chariot et s'éclipsa. Le Brésilien essaya de lire les instructions, mais comprit seulement combien il en coûtait. Près d'une fente figuraient les logos des principales cartes de crédit, incluant la sienne. Comme l'administration semblait avoir tout prévu, l'appareil acceptait aussi les billets et les pièces. Il retourna lentement vers Maria.

— J'ai besoin de monnaie. Ces saletés ne se débloquent que sur paiement… enfin, je suppose.

Il introduisit une pièce à l'endroit indiqué par une petite flèche jaune et le premier chariot de la file se laissa retirer sans aucune résistance.

Deux policiers leur barrèrent la route.

— On n'est pas sortis de l'auberge, ronchonna Maria.

Ils se virent obligés de déposer leurs bagages sur une longue table basse et de les ouvrir. Lúcio exigea en vain des explications. Les douaniers ne regardaient même pas dans sa direction.

La fouille fut longue et minutieuse, agrémentée par la présence sympathique d'un labrador renifleur qui enfonça son museau humide entre les pantalons et les caleçons, puis bava sur une chemise. L'animal les regarda, désolé de n'avoir rien découvert.

— Nous changeons de catégorie, ironisa Lúcio. De terroristes, nous sommes promus à trafiquants de stupéfiants. Rappelle-moi d'acheter un nouveau coupe-ongles pour me balader armé. On ne sait jamais!

— J'en ai marre, répondit Maria. Je veux rentrer à la maison. Tu crois que si je flanque ma main sur la gueule d'un de ces sagouins, on nous renverra chez nous tout de suite?

— La même idée m'a effleuré, tout à l'heure, avec ta sympathique copine. Je crois qu'on se retrouverait plutôt en taule. Il vaut mieux se tenir tranquille. Tiens, les zigues ont fini de foutre nos bagages en l'air.

— Quel bordel, constata-t-elle.

Ils remirent un semblant d'ordre dans leurs valises saccagées et quittèrent finalement la douane.

***

Un gigantesque hall les attendait.

— Qu'est-ce qu'on fait maintenant?

Maria passa son bras sous celui de Lúcio.

— Garde toute la paperasse à portée de main. On va sans doute nous demander nos passeports et une carte d'embarquement pour prendre un taxi.

Lúcio feuilletait le guide.

— Si j'en crois l'auteur, aller jusqu'en ville en taxi nous reviendrait à l'équivalent de quarante dollars. À peine six dollars si on prend l'autocar. Je crois qu'il n'y a pas à hésiter. On fonce.

— On fonce où?

— Regarde si tu vois le mot *autocar* ou *bus* écrit quelque part.

Ils arpentèrent le grand hall d'une extrémité à l'autre. La fatigue alourdissait leurs jambes et leurs paupières. Lúcio frappa la couverture du guide du plat de sa main.

— Nom de Dieu, c'est quand même écrit dans ce sacré bouquin. Un comptoir jaune, près des compagnies de location de voitures.

— Merde! lâcha soudain Maria. Ça suffit! J'ai soif, j'ai faim et j'ai envie de faire pipi.

Elle montra un petit bar.

— On se met là, je vais aux toilettes, je me refais une beauté et on boulotte quelque chose. On réfléchira certainement mieux après. Ça ne te ferait d'ailleurs aucun mal de te passer un peu d'eau sur la figure et de te brosser les dents. Tu as une haleine de momie.

Il hésita.

— Dis donc, notre budget ne prévoit pas ce genre d'extra. Si on se met à dépenser de l'argent à tort et à travers, nous n'irons pas loin, et puis...

Elle coupa court à ses arguments.

— Nous n'avions pas non plus prévu mourir de faim ni de soif dans un aéroport après être tombés entre les mains d'un tas de fonctionnaires zélés. Et personne ne m'a avertie que je devrais mouiller ma culotte dans un endroit public parce que mon mari m'empêche de trouver des toilettes.

Elle avait élevé progressivement la voix. Plusieurs regards curieux se posaient déjà sur eux.

Quand elle revint, lavée et maquillée, Maria avait perdu son air fripé. Ses yeux brillaient comme si elle s'était soudain rendue compte de l'endroit où elle se trouvait et que l'aventure avait déjà commencé.

Tandis qu'il mangeait son sandwich, Lúcio consultait tour à tour le lexique de son guide et son dictionnaire. Il se donna une tape sur le front.

— Je suis un imbécile.

— Je n'osait pas le dire, ironisa Maria.

— Il faut chercher le mot *navette*. C'est comme ça qu'ils appellent les autocars qui vont et qui viennent entre l'aéroport et le centre-ville.

Les lettres bleues de *navette* brillaient sur un fond de lumière jaune, la couleur du lieu et des vêtements de la jeune fille qui arrivait à baragouiner quelques mots d'espagnol. Elle réussit à leur expliquer, à grand renfort de gestes, où ils devaient aller et qu'ils devaient faire vite pour ne pas manquer la navette suivante.

Quelques personnes attendaient déjà l'autocar quand ils arrivèrent.

— Nous avons oublié nos cartes d'embarquement! dit Maria en s'esclaffant.

Pour la première fois depuis le début de leur voyage, il la regarda. L'émotion de la sentir près de lui était plus puissante que jamais. Emmitouflée dans son grand manteau, les joues rosies par le froid, avec ses grands yeux noirs un peu bridés et ses cheveux aile de corbeau qui dépassaient de son bonnet de laine, elle ressemblait à une poupée. Il l'enlaça et la serra contre lui. Elle le repoussa gentiment.

— Fais attention aux bagages.

— Au diable les bagages !

— On nous regarde.

— Ça me fait une belle jambe. Au diable les voyeurs !

— Attends au moins qu'on arrive à l'hôtel.

— L'hôtel, c'est loin.

Ils étaient les seuls passagers lourdement chargés à avoir embarqué dans l'autobus. Le véhicule démarra. Sous l'effet de l'accélération, la valise, que Lúcio serrait entre ses jambes, se mit à glisser en arrière et alla terminer sa course aux pieds d'un personnage flegmatique qui ne lui accorda qu'un bref coup d'œil avant de reprendre la lecture de son quotidien. Tout le trajet se passa à chasser sa valise qui partait à la dérive au moindre coup de frein ou d'accélérateur.

⚏⚏

La gare routière n'était pas aussi gigantesque que l'aéroport, mais il y circulait un nombre impressionnant de voyageurs.

— Suivons les flèches, recommanda Lúcio. La sortie est au bout.

Un vent froid balayait le trottoir en longues rafales. Des nuées grises avaient avalé le pâle soleil présent à leur arrivée. Quelques gouttes de pluie s'écrasèrent sur leurs visages. De tous côtés, des édifices gris, de trois ou quatre étages, semblaient se recroqueviller sous l'assaut de cette bruine glacée. Des voitures circulaient sans hâte, abandonnant derrière elles des petits nuages blancs. Les rares passants marchaient tête basse, pressés d'échapper à toute cette grisaille. Le froid s'infiltrait sournoisement sous leurs vêtements.

— Je croyais que leur fameuse navette nous amènerait tout près de l'hôtel.

— Moi aussi. Remarque que ce ne doit quand même pas être très loin. Je vais me renseigner.

— Ah! Ouais! fit-elle goguenarde, en retrouvant avec délice la chaleur de la gare. Je me demande comment tu vas t'y prendre pour dialoguer avec les indigènes. C'est pas toi qui m'as affirmé que le monde entier parlait portugais?

— Écrase, tu veux!

Le quatrième passant à qui il montra le papier, sur lequel étaient écrits le nom et l'adresse de l'hôtel, perçut rapidement l'inutilité de ses explications. Il entraîna Lúcio vers une carte de la ville fixée sur un mur. Il posa un doigt sur le plastique qui protégeait la carte, indiquant une avenue où convergeaient trois autoroutes. Il lui montra ensuite le plancher pour lui signifier qu'il s'agissait de l'endroit où ils se trouvaient. Il examina encore une fois la carte, prit le papier des mains de Lúcio et remit son doigt sur le plan, montrant une rue séparée de la gare par la moitié de la ville. L'homme lui rendit l'adresse et s'en alla avec une grimace navrée.

===

Le taxi les déposa devant le *Saint-André*. Le crachin se transformait rapidement en une pluie soutenue. Le toit de l'immeuble se confondait avec le ciel. Un mendiant barbu s'abritait, tant bien que mal, dans l'encoignure d'une porte voisine. Fasciné, Lúcio n'arrivait pas à cesser de fixer les pieds de l'homme, enveloppés de sacs. «Comment peut-il survivre à l'hiver?» pensa-t-il. Leurs regards se croisèrent. Le mendiant sourit. Toute sa face se plissa dans une multitude de rides. Dans sa bouche ouverte, deux incisives manquaient creusant un trou noir. Il tendit une main ouverte. Mal à l'aise, Lúcio se retourna et emboîta le pas à sa femme. Toute la fatigue du voyage lui tomba dessus d'un coup. Gravir les quelques marches qui menaient à la réception se transforma en un marathon. Ses jambes flageolaient quand il posa le coupon sur le comptoir, devant un employé obèse. Devant lui, le soleil d'une affiche touristique se dédoubla en deux roues jaunes et l'obligea à forcer ses yeux pour finir par ne rien comprendre à ce qui était écrit sous l'astre.

Le préposé parlait espagnol et quelques mots de portugais. En fait, comme il réussit à leur expliquer, il avait fui la Colombie, pour échapper aussi bien aux milices de droite qu'à la guérilla de gauche et aux troupes du gouvernement et aux trafiquants infiltrés un peu partout. Son premier refuge avait été le Brésil, où il avait erré pendant trois ans, avant de conclure que le travail y était encore plus rare que chez lui et que, sous des dehors aimables, quand il s'agissait d'affaires ou de travail, les Brésiliens ne faisaient de cadeau à personne. — Sans vouloir vous offenser. — Il s'était alors expatrié dans ce pays de merde, avec son climat froid de merde et ses femmes de merde, dont on ne pouvait même pas regarder les fesses sans courir le risque de passer une nuit au *gnouf*. Tout ça à cause de ces merdes de FARCS* qui tuaient les travailleurs à tour de bras, s'enrichissaient avec l'argent de la drogue et prônaient une merde de révolution sociale. La révolution de la cocaïne, ouais! Dans dix ans, toute la population civile aura foutu le camp. Sur sa lancée, il les informa que la chambre était au troisième étage et que l'établissement ne disposait pas d'ascenseur.

— Mais qu'est-ce que vous voulez, pour le prix que vous avez payé... Ce n'est pas l'*Intercontinental*, ici, acheva-t-il.

Il tapa sur un clavier. Une feuille glissa hors d'une imprimante.

— Voilà, dit-il. Cinq jours, quatre nuits, petit-déjeuner inclus. Le dernier jour, la chambre doit être libérée à midi. Nous n'avons pas de salle à manger. Le petit-déjeuner est servi dans la chambre. Vous le voulez à quelle heure?

* Forces armées révolutionnaires de Colombie.

Maria s'écroula sur le lit. Lúcio, couvert de sueur, haletait et pestait contre les bordels d'hôtels qui n'ont pas de foutu ascenseur. Le Colombien ne pouvait évidemment pas abandonner son poste pour les aider. L'autre employé avait fait semblant de ne pas voir leurs bagages et s'était éclipsé en douce. Il n'était réapparu que pour leur ouvrir la porte de la chambre, leur montrer comment fonctionnait le téléviseur, et pour attendre son pourboire, qui vint sous la forme d'un chapelet de mots orduriers dont la langue brésilienne est particulièrement fertile. Près de la porte, les valises attendaient maintenant d'être ouvertes.

La largeur du lit les surprit. Il fallait passer dessus pour atteindre les rideaux de la fenêtre qui donnait sur un cul-de-sac rempli de poubelles, où gisait la carcasse d'une voiture abandonnée. Au moins, l'endroit était silencieux. Il tombait maintenant une pluie forte, rageuse, qui transformait les façades des bâtiments en cascades. Les gouttes se défaisaient sur leur fenêtre en petits ruisseaux zigzagants. Quand Lúcio sortit de la minuscule salle de bains, Maria dormait, couchée sur le dos, tout habillée.

Ils se réveillèrent presque simultanément, vers deux heures du matin, le ventre creux et la bouche sèche. Elle palpa son corps et s'étonna de se retrouver nue sous les couvertures.

— C'est toi qui m'as déshabillée? demanda-t-elle en bâillant.

Une lumière bleue envahissait la chambre, provenant d'une annonce publicitaire fixée au toit voisin.

— Non. J'ai demandé au Colombien de le faire. Il se plaint tellement que les femmes d'ici ne supportent même pas qu'il les regarde, que j'ai voulu lui montrer une Sud-Américaine à poil ! Suivante !

— Suivante quoi ?

— Question idiote suivante.

Elle le prit entre ses bras et se serra contre lui. Elle sentit la main de l'homme lui caresser doucement un sein.

— Et même que t'as grossi, ma biche. Mais ne t'en fais pas, je t'aime comme ça. Un ventre rond, ça vous pose une femme !

Elle se dégagea.

— J'ai faim, murmura-t-elle, le visage enfoui dans son oreiller.

Il soupira.

— Tu penses que je réussirai à trouver un endroit ouvert à cette heure ?

Elle souleva la tête.

— T'es pas bien dans ta tête. Tu ne vas quand même pas sortir en pleine nuit dans une ville où tu n'as jamais mis les pieds.

Il se redressa et s'assit.

— T'as faim ? Moi aussi. Je suis censé être galant puisque je suis le mâle. Je dois donc découvrir où acheter une bonne assiette de soupe chaude pour ma nana.

Il sauta du lit et enfila ses vêtements.

— Habille-toi chaudement, murmura-t-elle d'une voix ensommeillée. Il doit faire froid dehors.

Le veilleur de nuit dormait à poings fermés quand Lúcio passa devant la réception. Le froid le saisit aussitôt qu'il posa les pieds sur le trottoir. Il remonta la fermeture éclair de son anorak jusqu'au cou, remarqua que le mendiant avait disparu et se mit en marche. La rue débouchait sur une avenue bien illuminée. Il regarda de part et d'autre. Tout était fermé. Il avait lu dans son guide que beaucoup de *delicatessen* restaient ouverts toute la nuit. Il aurait pu se renseigner auprès du veilleur, mais il avait présumé que ce dernier ne parlait ni espagnol ni portugais. Et puis l'homme dormait avec un visage tellement serein qu'il avait renoncé à le déranger.

Il tourna à gauche parce qu'à l'extrémité lointaine de l'artère, à l'arrière-plan d'une enfilade de feux rouges, il lui semblait distinguer les lueurs d'une vitrine. Quand il atteignit le but qu'il s'était fixé, au lieu du magasin attendu, il ne trouva qu'une série de lampes qui entouraient un chantier.

Il s'arrêta, indécis. Le vent du nord balayait le carrefour et s'engouffrait dans son capuchon relevé, le transformant en une baudruche trop gonflée. Il s'apprêtait à rebrousser chemin quand il vit l'enseigne lumineuse du coin de l'œil. Elle se trouvait beaucoup plus loin qu'il ne l'avait d'abord cru. Il dut lutter bravement contre les bourrasques qui ralentissaient sa marche.

Derrière son comptoir, un Sikh enturbanné grommela une rapide salutation avant de retourner à la lecture de son livre. Arrêté devant les gondoles croulantes de marchandises, Lúcio savourait avant tout la chaleur de l'endroit. Elle repoussait ce froid presque liquide qui avait imprégné ses vêtements et collait à sa peau comme du métal. Elle ressuscitait les mouvements de ses doigts. Elle recomposait son corps en une unité dont chaque partie en absorbait une parcelle avec délice.

Il choisit du pain, de la charcuterie et une bouteille de bière. Il paya et retrouva la rue noyée sous la pluie. Il estima la distance à parcourir jusqu'à l'hôtel et conclut qu'il y arriverait aussi mouillé que s'il était tombé dans le fleuve qui traversait la ville. Il décida d'attendre. Une heure plus tard, la pluie faiblit et cessa. Transi, il quitta l'abri sous la porte. Quelques voitures roulaient déjà quand il s'engagea dans l'avenue. Un camion de la voirie ramassait les ordures. Un passant solitaire le croisa d'un pas rapide, tête baissée, casquette enfilée jusqu'aux oreilles. L'asphalte mouillé brillait. Une sensation d'étrangeté s'empara de Lúcio. Il devait marcher dans la bonne direction puisqu'il avait maintenant le vent dans le dos. Mais il ne reconnaissait pas les rues transversales, ni les vitrines obscures devant lesquelles il était passé. Le plan de la ville était resté à l'hôtel. Pire : il n'avait pas pris la peine d'apprendre l'adresse par cœur ni le numéro de téléphone. Une demi-heure plus tard, il s'arrêta, perdu.

Une aube triste grisaillait les édifices. Des piétons surgissaient, de plus en plus nombreux, chassés de chez eux, se rendant au travail. Il en aborda un et ne prononça que trois mots : «Hôtel Saint-André». L'autre haussa les épaules et continua son chemin.

Les trous noirs, dessinés par la nuit, se remplissaient peu à peu de détails. Rien ne ressemblait plus à rien. Il s'arrêta encore une fois, désespéré. Épuisé aussi. Ses jambes ne le soutenaient presque plus et le sac d'épicerie pesait des tonnes au bout de son bras. Il ne sentait plus ni son nez ni ses oreilles. Il était certain d'être passé devant cette porte cochère, mais allez savoir avec cette drôle de lumière qui donnait du relief à ce que la nuit avait aplati. Les phares des voitures ne servaient déjà plus à grand-chose dans la clarté mouvante du petit matin. Un nouveau jour triste naissait des restes de la nuit.

«Hôtel Saint-André». Il le vit, rien qu'en se retournant. Il était passé et repassé devant la ruelle sans la reconnaître. Il y retrouva une Maria échevelée qui tentait en vain de convaincre le réceptionniste d'appeler la police. Ils prirent le petit-déjeuner dans la chambre qui lui parut soudain trop chaude. Il dormait bientôt comme une souche alors qu'elle achevait de boire sa tasse de café.

CHAPITRE IV

Les eaux noires du fleuve couraient sans bruit sous les ponts de fer et de pierres. Le cours d'eau déchirait la ville en deux parties inégales et disparaissait dans un horizon monochrome. Le vent ridait sa surface et se chargeait d'une humidité qu'il dispersait ensuite dans les rues adjacentes. Maria et Lúcio se promenaient dans une allée bordée d'arbres, sur lesquels la vie se manifestait par d'innombrables petits points verts. La promenade se transformait rapidement en un combat mené contre la bise gorgée d'eau. À leur gauche commençait la vieille ville, entrelacs de ruelles et de constructions basses, cernée de tous côtés par le gigantisme des édifices du centre. Les magasins attrape-touristes se pelotonnaient frileusement les uns contre les autres. Des t-shirts à motifs folkloriques, mal fixés sur leurs tréteaux, claquaient sous l'effet du blizzard qui semblait naître entre les ponts déserts. Chandails, fichus, cartes postales, porte-clés, stylos, tous frappés aux couleurs du pays, remplissaient ces cavernes vides de tout acheteur.

— Nous devons rapporter quelques souvenirs, dit Maria en étudiant le contenu d'une vitrine. Si on les achète maintenant, on n'aura plus à s'en préoccuper.

— Si c'est pour faire plaisir à tous ceux qui figurent sur la liste des parents et amis que tu traînes avec toi, on les achète aujourd'hui, et on retourne au Brésil demain. Ou alors, on obtient un prêt bancaire. Les taux d'intérêts sont moins élevés ici que chez nous.

— Monseigneur daignerait-il m'accorder l'autorisation d'envoyer au moins quelques cartes postales ?

— Tu fais ce que tu veux. Tu connais le montant de nos économies. Qui dit cartes postales, dit timbres.

Après quatorze heures de sommeil, son visage était détendu. Il l'enlaça.

— Je veux garder notre argent pour t'acheter un beau souvenir avant notre départ. Laisse tomber la famille et les voisins.

Il l'embrassa sur la bouche en lui tenant la tête entre ses mains.

L'heure du dîner arriva alors qu'ils passaient dans une rue commerciale, bordée de restaurants. Devant eux s'étendait un espace ouvert, parsemé de jardinières. Des pousses vertes émergeaient de la terre noire. Une enfilade de restaurants proposait des plats locaux et des aliments exotiques, thaïlandais et brésiliens, sans oublier les nouilles italiennes et l'infâme tambouille aseptisée d'un McDo. Ils lurent les menus en s'amusant comme des enfants. Les mâchoires douloureuses, ils savouraient par anticipation les nourritures offertes. Ils choisissaient longuement en combinant les amuse-gueules, les entrées, les plats principaux, les desserts, les vins et les liqueurs, sans comprendre la plupart des mots exotiques offerts à leur curiosité. Par contre, ils n'éprouvaient aucune difficulté à déchiffrer les prix. Ils échangeaient alors une grimace entendue et passaient à l'établissement suivant.

Un homme surgit d'une ruelle transversale. Vêtu d'un long manteau sombre, les cheveux ignorant les secousses du vent, il marchait d'un pas vif et assuré. Il lança un coup d'œil appréciateur à Maria. Lúcio examinait un menu exposé dans une minuscule vitrine. Elle fixa à son tour le visage de l'inconnu. Une sensation immédiate de chaleur s'empara de son ventre. La place tangua un bref instant. Ses jambes menacèrent de ne plus supporter son poids. Son souffle devint court. Les images, qui la faisaient rougir de honte, ressurgirent. Des corps nus entremêlés, des langues, toujours des langues. Sous le manteau, il ne portait rien. Il en écarta les pans et dévoila un corps modelé par les exercices. Maria s'emparait doucement de son sexe tendu.

— Dis... tu m'écoutes?

Elle sursauta.

— Quoi?

Lúcio riait.

— Où étais-tu ?

Heureusement, le froid justifiait la rougeur de ses joues. Elle l'enlaça et l'embrassa goulûment.

— Rentrons, murmura-t-elle à son oreille. Rentrons ! J'ai envie de toi. J'ai besoin de toi.

Son corps épousa le sien. Elle dissimula son visage, sa honte, sa culpabilité et son désir au creux de son cou.

Il la repoussa avec tendresse en riant de plus belle.

— On mange quelque chose d'abord. Sinon, je n'arriverai pas à te rendre hommage.

Deux maisons, disposées en angle droit, protégeaient plus ou moins un parc minuscule de l'haleine glacée du fleuve. Un chemin circulaire de gravier blanc entourait un parterre d'herbe, libéré de sa gangue hivernale. Une pancarte interdisait de le fouler sous peine d'amende. Les fesses gelées par le banc qui leur servait aussi de table, ils mangèrent des sandwichs achetés dans une épicerie et burent du café bouillant. Une petite vieille, qui promenait son chien, leur jeta un regard attendri.

— Viens, ordonna Maria. J'en ai ras-le-bol de ce froid. On retourne à l'hôtel !

≒⩌

La respiration de Maria retrouva son rythme normal. Elle était étendue sur le ventre, jambes et bras écartés, Lúcio couché sur son dos. Petit à petit, le poids de l'homme lui devint insupportable. Elle remua ses fesses. Il se laissa tomber sur le matelas, tira un coin de couverture sur lui et s'endormit d'un coup. Elle se retourna. Des raies de lumière bleutée s'alignaient sur le plafond. La pluie heurtait la fenêtre. Il faisait chaud dans la chambre. Elle n'éprouvait pas le besoin de se couvrir. La sensation de nudité l'excitait. L'inconnu ouvrait la porte de la chambre et s'approchait d'elle. Il écartait encore une fois les pans de son manteau sombre. Elle s'y engouffrait sans hésiter, toute pudeur disparue.

⁘

Le troisième jour, Lúcio se réveilla avec de fortes douleurs dans le dos, et une désagréable impression de manquer d'air. Après le petit-déjeuner, auquel il ne toucha que du bout des lèvres, il se mit à tousser.

— Merde ! éructa-t-il. Ce n'est vraiment pas le moment de tomber malade. Demain, nous devons prendre la voiture à l'agence.

— Pourquoi ne restes-tu pas couché ? Ce doit être une grippe de rien du tout. Repose-toi aujourd'hui.

— Pas question. Je ne me suis pas tapé douze mille kilomètres pour rester au lit dans une chambre d'hôtel.

Il accompagna Maria jusqu'à un centre commercial. Les jambes lourdes, il se traînait derrière elle, dans des couloirs tous pareils, sans âme et sans fin. En sus de la douleur qu'il éprouvait dans la poitrine, des pulsations douloureuses parcouraient ses tempes et il avait l'impression que du papier émeri

67

tapissait le fond de sa gorge. De brusques bouffées de chaleur alternaient avec une sensation de froid qui le faisait trembler. Une nausée insidieuse lui retournait l'estomac. Maria ne semblait s'apercevoir de rien, émerveillée par des robes bien au-dessus de ses moyens, des sous-vêtements portés par des mannequins de cire aux poses érotiques ou par des souliers du dernier cri aux formes bizarres.

Une heure plus tard, il s'effondra sur une chaise. Des enseignes lumineuses et agressives annonçaient, autour de lui, tous les *fast-foods* du monde. Pizzas dégoulinantes de fromage fondu, tacos épicés, hot-dogs couverts de moutarde, sushis enrobés d'algues noires, gigantesques sandwichs de viande fumée. Pour une modique somme, l'endroit satisfaisait les estomacs peu exigeants et remplissait les artères de graisse. Il ferma les yeux et agrippa le bord de la table lorsque la place se transforma en un gigantesque manège où tout se fondait en stries bariolées. Maria commanda deux jus d'orange et des tacos. Le Brésilien grignota le sien en laissant s'échapper des bouts de viande de tout côté, sans aucun enthousiasme. Midi approchait. Une foule bruyante occupait maintenant toutes les autres tables. Lúcio sentait la nausée s'intensifier. Toutes les odeurs de l'endroit semblaient se concentrer autour de leur table. La lumière devint une bulle liquide qui l'engloutit soudainement. Les bruits frappaient ses tympans et résonnaient douloureusement derrière ses yeux. Il déposa le gobelet à côté de l'assiette en carton.

— Je ne me sens pas bien, dit-il. Je rentre à l'hôtel.

Son visage était pâle et les lampes fluorescentes accentuaient les cernes qui gonflaient ses orbites.

— Je t'accompagne.

— Il n'en est pas question, dit-il d'une voix tranchante. Je vais acheter des aspirines, me coucher et regarder la télé. Un bon somme et après, ça ira mieux.

— Mais, enfin…

— Non! On ne va pas se morfondre tous les deux dans une chambre d'hôtel. On a assez de temps au Brésil pour regarder la télé. Et de toute façon, celle d'ici, on n'y comprend rien!

Des gouttes de sueur perlaient sur son front. Il avait l'impression que sa bouche ne parvenait plus à contenir sa langue.

— Achève mon taco, dit-il en poussant son assiette vers elle.

Il se leva en chancelant. Elle voulut l'aider.

— Tu vois bien que tu n'y arriveras pas sans moi.

— Sois gentille. Assieds-toi. Termine ton taco et le mien. Puis, va te balader. Moi, je vais me débrouiller.

Elle le regarda s'éloigner. Il marchait d'un pas mal assuré. Il toussait quand il se fondit dans la masse compacte des badauds.

Une brise chargée d'humidité ne cessait de parcourir les rues de la ville, mais un pâle soleil se reflétait maintenant dans les glaces des voitures.

Maria se sentait mieux à l'air libre, moins oppressée
que dans ces tunnels où le temps et la lumière ne
variaient jamais. Devant une librairie, assise sur le
trottoir, une mendiante avait retroussé ses pantalons
et exposait ses jambes à la faible chaleur solaire.
Des taches noirâtres s'étendaient sur ses mollets.
Comme atteints d'une subite démence, les passants
retiraient leur manteau, leur écharpe, leur chapeau,
et posaient sur leur nez des lunettes noires, émer-
veillés par ce moment printanier. Pour Maria, cette
saison de semailles ressemblait davantage à un hiver rigoureux qu'à un temps de plage et de bain de
mer. Puis, elle devint légère, enjouée, heureuse,
contaminée par cette brusque joie de vivre. L'image
claudicante de Lúcio s'estompait, avalée par une
ville lointaine dans laquelle elle refusait d'entrer. En
même temps, divers sentiments montaient en elle :
la volupté de la liberté, la sensation de pouvoir
faire n'importe quoi, la joie de disposer d'elle-même
comme elle l'entendait.

Assis à la terrasse d'un café, un étudiant la
détaillait. Pourquoi pensait-elle à cet homme comme
à un étudiant ? À cause de ses cheveux longs ? De
son regard triste ? De cette façon un peu gauche avec
laquelle il la regardait ? Elle sentait poindre le désir
de s'asseoir à côté de lui, de poser sa main sur la
sienne, de le regarder dans les yeux, de l'embrasser
sur la bouche... La bouffée de chaleur envahissait
encore une fois son ventre. Son cœur se mit à
battre plus vite. Ses jambes refusaient de la porter.
Elle fit volte-face et partit à la recherche d'une
bouche de métro.

Elle examina la carte du réseau fournie par l'hôtel. L'idée de voyager sous terre ne l'enchantait guère. Elle étudia son trajet. Ligne rouge ! Tout droit, sans changement. Il suffisait de ne pas se tromper de direction ni de station. Une demi-heure plus tard, elle retrouvait Lúcio.

⚎

Lúcio avait une forte fièvre. Ses yeux rouges brillaient d'un mauvais feu. Des taches incarnates s'étendaient sur ses pommettes. Quand il ne toussait pas, il tremblait de tous ses membres.

— Un médecin, balbutia-t-il. Il faut que tu appelles un médecin. Je ne me sens vraiment pas bien.

Il ferma les yeux. La toux le secoua encore une fois.

— Voici ce que tu vas faire. Tu vas téléphoner à l'administrateur de notre carte de crédit. Comme nous avons acheté nos billets d'avion avec la carte, nous avons droit à une assurance-maladie. Tu leur demanderas comment il faut procéder pour obtenir une consult...

Le reste de la phrase se perdit dans un gargouillis suivi d'une nouvelle crise de toux. Il reprit son souffle.

— Il y a des aspirines dans les poches de mon manteau. Donne-m'en deux, s'il te plaît.

Maria ne savait pas ce qu'elle redoutait le plus. Cette subite maladie de son mari ou la perspective de devoir affronter un téléphone dans ce pays où elle ne comprenait personne. Elle mit les comprimés dans la bouche de Lúcio, souleva sa tête et l'obligea à boire un grand verre d'eau.

— Il y a un numéro gravé sur la carte, pour les urgences. Tu peux demander l'aide d'un employé qui parle portugais. Il te dira quoi faire.

— Mais comment fait-on pour parler avec les autres, avec ceux qui ne parlent pas le portugais ?

Elle pleurait presque, complètement désemparée, comme un enfant auquel on demande de traverser un couloir mal illuminé. Il réussit à sourire.

— Tu décroches l'appareil, tu composes le numéro et tu dis «allô».

— Cesse de te moquer de moi.

Ses yeux se remplissaient de larmes.

— Achète une carte et appelle d'une cabine télé-phonique. Ça reviendra beaucoup moins cher que d'employer cet appareil, dit-il en désignant du menton le combiné de la chambre.

Maria ne vit que la tête du propriétaire du kios-que. Des piles de revues et de journaux cachaient le reste. Elle s'approcha, les bras ballants, en se demandant quoi dire.

— Une carte de téléphone, ânonna-t-elle en por-tugais.

L'homme dut comprendre le mot «téléphone» car il montra du doigt une panoplie de cartes expo-sées sur le seul espace encore libre du comptoir.

Maria les examina et se passa la main dans les cheveux. Chez elle, à la maison, à l'endroit où elle donnerait volontiers quelques années de sa vie pour se trouver en ce moment, dans son pays sous-développé, il n'existait qu'un type de carte que l'on pouvait enfoncer dans n'importe quelle fente de n'importe quel appareil, du nord au sud et de l'est à l'ouest du Brésil. Au lieu de cette situation simple et nette, elle se voyait contrainte de choisir entre une collection de rectangles bariolés aux inscriptions aussi bizarres qu'incompréhensibles. L'idée lui vint sans doute sous l'aiguillon du désespoir. Elle retira la carte de crédit de son sac et montra le numéro de téléphone au vendeur. Ce dernier devint volubile, mais en vain. Il finit par lui remettre une carte rouge décorée de drapeaux d'une vingtaine de pays. Maria paya et partit à la recherche d'une cabine.

Le temps changeait rapidement. Des nuées sombres se bousculaient dans le ciel et grignotaient peu à peu un soleil agonisant. La température chutait de plus en plus. Les gens remettaient leurs manteaux et remisaient leurs lunettes solaires dans leurs étuis. Il faisait déjà trop froid pour recourir aux téléphones exposés aux éléments. Elle se rabattit sur le métro et trouva ce qu'elle cherchait.

L'appareil était pourvu d'un mini-écran sur lequel défilait en permanence le même avis. Elle ne perdit pas son temps à essayer de le déchiffrer. Elle décrocha le combiné, enfonça la carte à l'endroit approprié, et attendit. À part un changement de message, rien ne se passa. Un son continu vrilla son oreille, puis une voix dit quelque chose et le son se tut. Elle attendit encore quelques secondes. Rien ne se produisit. Elle raccrocha. Elle recommença la même opération en retournant la carte avant de l'enfoncer, mais rien à faire, la communication ne s'établissait pas. Chaque fois que la porte de la station s'ouvrait, un jet d'air froid frappait son dos. Le métro semblait exiger des usagers qu'ils se hâtent puisqu'ils couraient ou marchaient à grands pas. Les gens se croisaient, s'entremêlaient sans se heurter, sans se bousculer, déjà chez eux après une autre journée de travail. Maria ferma les yeux pour échapper au vertige que ce mouvement perpétuel lui occasionnait. Les quatre autres téléphones, fixés au mur près du sien, étaient tous occupés. Un homme parlait à voix basse, les traits tendus, les yeux tristes. Un peu plus loin, un écolier, pantalon large retombant en plis informes sur des espadrilles élimées, casquette à l'envers, emmitouflé dans un manteau constellé de badges, céda sa place à une femme impeccablement vêtue d'un tailleur gris. De la pointe du pied, le gamin donna un coup sec à un skateboard qui prit son envol et vint se loger sous son aisselle. Une jeune fille blonde raccrocha le quatrième appareil et s'en alla en souriant. À côté de Maria, un personnage basané parlait une langue qu'elle comprenait presque. De temps en temps, elle percevait la signification d'un mot, mais n'arrivait jamais à comprendre toute une phrase. Il remit le combiné sur son socle, récupéra sa carte et se retourna vers la sortie. Maria n'hésita pas.

— S'il vous plaît, est-ce que vous me comprenez? demanda-t-elle.

— Parfaitement, répondit-il en la dévisageant. En quoi puis-je vous aider, Mademoiselle?

Elle s'efforça de rester calme, mais durant une interminable minute, sa gorge ne réussit à émettre aucun son. Les battements de son cœur étouffèrent les bruits de la station.

— Vous êtes Brésilienne, constata l'autre. Ou bien vous venez d'une de nos anciennes colonies. Je suis Portugais. Laissez-moi deviner. Macao? Angola? Cap-Vert?

— Brésilienne, articula-t-elle avant d'avaler plusieurs fois sa salive. De São Paulo.

L'accent du Portugal! Voilà qui expliquait la difficulté qu'elle éprouvait à le comprendre.

— Évidemment. Vous ne pouviez être que Brésilienne. J'aurais dû m'en douter. Il n'y a qu'au Brésil qu'on trouve d'aussi belles femmes. Et avant qu'elle ne réponde, il ajouta: Ce n'était qu'un hommage à la beauté de la femme brésilienne en général. Vous disiez?

— Je suis une touriste. C'est la première fois que je visite ce pays. J'ai besoin de téléphoner, mais ma carte ne fonctionne pas. Je viens pourtant de l'acheter.

— Vous permettez?

Il saisit la carte et, à l'aide d'une pièce de monnaie, en gratta une partie et fit apparaître un numéro. Il décrocha ensuite le combiné, composa une longue série de chiffres et attendit. Il la lui rendit en hochant la tête.

— Elle fonctionne très bien.

Il lui tendit l'appareil. Une voix de femme répétait sans arrêt la même chose.

— Mais vous ne l'insérez pas dans la fente?

Il lui fallut un certain temps pour comprendre ce qu'elle voulait dire. Et il éclata de rire.

— Excusez-moi, dit-il. Je suis désolé. Je ne me moque évidemment pas de vous. Ceci est une carte internationale. Vous en avez sûrement vues de plusieurs marques concurrentes.

Il en retira une autre de sa poche.

— Vous voyez, ça, c'est une carte à puce. C'est elle qu'on introduit dans l'appareil. Elle sert surtout pour les appels locaux. Le mode d'emploi de la vôtre est un peu différent.

Maria ne parvint qu'à secouer la tête.

— Si je ne me trompe pas, au Brésil, vous achetez une carte universelle qui fonctionne n'importe où et qui sert pour n'importe quel type d'appel.

Elle hocha derechef la tête.

— Remarquez le numéro qui figure sur cette barre plus claire. C'est un numéro 1-800. Vous l'appelez de n'importe quel appareil, gratuitement. Un message vous demande alors de composer le code caché que je viens de dévoiler, sous la barre noire. Après, vous téléphonez où vous voulez jusqu'à l'épuisement de vos crédits. Quel numéro voulez-vous appeler?

Elle lui montra sa carte de crédit. Un rien d'espièglerie brilla dans les yeux du Portugais.

— Vous avez montré ça au type qui vous a vendu cette carte?

— Bien sûr.

— Il vous a refilé une carte inutile. Votre numéro d'urgence commence par 1-800. Tous les numéros qui commencent par ce préfixe sont gratuits.

Un instant plus tôt, il était encore là, comme un ange protecteur. Maintenant, elle se retrouvait seule devant l'appareil et son message lumineux qui passait et repassait inlassablement. Le flux des passagers devenait constant. Les portes restaient ouvertes presque tout le temps. Elle se sentait abandonnée, trahie par son mari malade. Le vent traversait son manteau et la glaçait jusqu'aux os.

La voix avait prononcé le nom de sa carte de crédit. Ça, au moins, Maria en était certaine. Elle voulut l'interrompre, mais la voix continuait à réciter un long texte, imperturbable. Elle tendit soudain l'oreille. Une phrase en portugais venait d'être articulée. Elle se terminait par 6. La voix se tut. Elle cria en vain «Allô! Allô!». Elle recommença toute l'opération, mais comme sa main tremblait, elle dut s'y prendre à deux fois. Après une série d'autres phrases, la voix prononça clairement:

▶ Pour le portugais, faites le 6.

Ce qu'elle fit, en retenant sa respiration.

▶ Si vous désirez communiquer la perte ou le vol d'une carte, faites le 1.

▶ Si vous désirez vous inscrire au nouveau programme *Regard sur le monde*, faites le 2.

▶ Si vous désirez une avance de fond, faites le 3.

▶ Si vous désirez remplacer une carte défectueuse,
faites le 4.

▶ Si vous désirez déposer une plainte relativement à un refus de notre carte de la part d'un
établissement affilié, faites le 5.

▶ Si vous souhaitez parler à l'un de nos préposés,
faites le 6.

▶ Si vous souhaitez entendre de nouveau ce message, faites le 0.

▶ Nous sommes fiers de vous compter parmi nos
clients et espérons que vous serez satisfaits de
nos services.

Maria appuya sur le 0 et écouta de nouveau,
avec attention, le message. Elle appuya ensuite sur
le 6. L'ordre suivant vint au même instant :

▶ Veuillez entrer les seize chiffres de votre carte
de crédit.

La carte ! Où avait-elle mis la foutue carte ? Elle
retint le combiné entre sa tête et son épaule et
entreprit d'examiner le contenu de son sac à main.
Elle la retrouva dans une poche latérale, protégée
par un porte-carte en similicuir fourni par la banque.

▶ Merci de nous avoir appelés. Tous nos postes
sont présentement occupés. Veuillez demeurer en
ligne afin de conserver votre priorité d'appel...

Elle changea le combiné d'oreille et appuya son dos contre le mur. L'appareil émettait en continu une musique irritante. Elle attendit. Un soûlard ouvrit la porte et se dirigea directement vers elle en tendant à bout de bras une canette de bière bosselée où tintaient quelques pièces de monnaie. Elle secoua la tête. La créature dépenaillée insista en secouant la boîte sous son nez et en défilant un rosaire de mots qui ne signifiaient rien pour elle. Elle lui tourna le dos. L'homme finit par s'éloigner en chancelant et en maugréant des mots incompréhensibles. La musique s'arrêta.

▶ Vous trouverez le logo de votre carte de crédit dans plus de cinq millions d'établissements. Merci de patienter...

La musique reprit de plus belle. L'après-midi touchait à sa fin. Le flux des passagers grossissait sans cesse, dans les deux sens. Partout, des étudiants hauts en gueule se bousculaient, se chamaillaient et disparaissaient, happés par les escaliers roulants. Des gens couraient pour ne pas manquer le prochain métro. Maria remarqua un homme de grande taille, les cheveux peignés en arrière, vêtu d'une gabardine vert foncé, qui marchait nonchalamment en lisant un journal. Sa lenteur désinvolte semblait totalement déplacée au milieu de cette bousculade généralisée. La musique cessa abruptement. Une voix d'homme prit le relais.

— Thomas Azevedo. Bonjour. Que puis-je faire pour vous?

Toutes les répétitions mentales de son petit laïus ne servirent plus à rien. Elle resta bouche bée, ne sachant plus quoi dire.

— Thomas Azevedo. Bonjour. Que puis-je faire pour vous ?

Discernait-elle une certaine animosité dans cette voix neutre, une certaine impatience ?

— Mon mari est malade, commença-t-elle.

— Vous m'en voyez désolé, Madame. Pouvez-vous préciser d'où vous nous appelez ?

Elle fournit le nom de la ville et, calmée, entreprit de raconter son histoire.

— En principe, il n'y a aucun problème, Madame. Je vais vérifier les assurances que vous avez contractées lors de l'achat de vos billets. Ça prendra un instant. Votre carte a été émise au Brésil, n'est-ce pas ?

— Oui. Pourquoi ?

— L'administrateur de chaque pays est libre de choisir ce qu'il veut offrir à ses clients. Une carte française ne reçoit pas les mêmes avantages qu'une carte américaine. Un instant, s'il vous plaît. Ne quittez pas.

La musique reprit...

▶ Nous sommes fiers de vous compter parmi nos clients et espérons vous donner entière satisfaction. Merci de nous avoir appelés. Veuillez patienter...

La voix de monsieur Thomas Azevedo paraissait joyeuse à l'idée de lui donner une bonne nouvelle.

— Effectivement, Madame. Votre carte vous donne droit à une couverture médicale complète pour toute la durée de votre voyage, jusqu'à concurrence de 20 000 $ américains. De plus, veuillez noter que nous finançons en dix versements sans intérêt toute somme excédentaire. Cependant, les maladies déjà connues ne sont évidemment pas couvertes, ni les prothèses ou les soins dentaires. Par contre, votre assurance inclut le remboursement de médicaments, jusqu'à une somme de 500 $.

— Comment faut-il procéder? Mon mari est à l'hôtel, brûlant de fièvre.

— Appelez une ambulance, emmenez votre mari à l'hôpital et présentez votre carte de crédit à la réception.

— C'est tout?

— Oui, Madame. Et si vous achetez des médicaments, n'oubliez pas de conserver les factures. On vous remboursera au Brésil, en réal brésilien. Dans la mesure du possible, notre carte permet toujours de simplifier la vie de nos clients. Puis-je encore faire autre chose pour vous, Madame? Si vous avez des doutes, n'hésitez surtout pas à me poser des questions.

— Non, merci. Je crois que ça va aller. Merci.

— C'est nous qui vous remercions de nous avoir appelés. N'oubliez pas que nous sommes à votre disposition, vingt-quatre heures sur vingt-quatre. Au revoir, Madame, et bonne continuation.

Les urgences étaient évidemment bondées. Les patients occupaient tous les espaces disponibles. Même les couloirs abritaient des lits où gémissait toute une humanité souffrante. Deux infirmiers firent passer Lúcio du brancard à un lit. Son voisin, un homme à la peau toute jaune, dormait. Un peu plus loin, un individu ensanglanté gisait sous un écriteau sur lequel on pouvait lire : « Silence ! Hôpital ». Malgré tout ce monde, l'attente fut brève. Un jeune médecin aux yeux rougis par le manque de sommeil vint l'examiner.

— Pneumonie, diagnostiqua-t-il après avoir ausculté le patient. Nous allons prendre quelques radiographies et lui faire une prise de sang. Ça ne me paraît pas bien grave.

Il s'exprimait en espagnol, mais butait sur beaucoup de mots qu'il remplaçait par des *euh* répétitifs. Maria devinait plus qu'elle ne comprenait et se contentait de hocher affirmativement la tête.

Le médecin zigzagua entre les lits vers un autre malade qui venait d'arriver. Quelques minutes plus tard, un infirmier vint chercher Lúcio.

Malgré son évident épuisement, le médecin souriait toujours.

— C'est la saison. Avec ce fichu temps qui change tous les jours. Regardez.

Le praticien empoigna une radiographie et la plaça, à bout de bras, devant une lampe.

— Voici l'ennemi.

Son doigt traça un cercle autour d'une zone claire, située au milieu du poumon droit.

— D'autre part, votre mari me paraît en excellente condition. Il n'a jamais pris d'antibiotique. Le traitement ne pose donc aucun problème majeur. Il sera sur pied dans deux jours, à moins que ne surgisse une complication. Ne vous en faites pas.
— Il hésita. — Dites, vous venez du Brésil?

Maria hocha la tête.

— Quelle chance! Est-ce que je peux vous demander ce que vous faites dans cette froidure alors que vous avez du soleil toute l'année?

Depuis un certain temps, la même question faisait son chemin dans sa tête.

Lúcio se reposait maintenant dans une salle dont les quatre lits étaient tous occupés. Sa fièvre était tombée et ses yeux avaient déjà repris leur éclat normal.

Un haut-parleur crachota que l'heure des visites était terminée et invitait les familles à se retirer.

— T'en fais pas, dit-il. Encore un jour dans cet endroit et le docteur me libère.

Soulagée, Maria retourna à l'hôtel.

La bouche ouverte, le concierge colombien mâchait bruyamment un *chewing-gum*. Maria ne put retenir une grimace de dégoût, mais l'homme ne s'en formalisa guère.

— Encore heureux que vous soyez arrivée, dit-il en lui envoyant une douche de postillons. Je ne savais pas quoi faire avec vos bagages.

— Je ne comprends pas ce que vous voulez dire, balbutia-t-elle. Parlez plus lentement, s'il vous plaît.

Il s'abaissa et elle l'entendit cracher la gomme.

— Votre réservation valait pour cinq jours. Hier, c'était votre dernière nuit. J'espère que votre séjour chez nous vous a plu.

Elle fixa le visage rond du Colombien, sans comprendre, et remarqua un petit tic qui agitait le coin de son œil gauche. L'homme retira un papier d'un tiroir et le déplia sur le comptoir.

— Voici, dit-il. Arrivée : le 20. Départ : le 24. Quatre nuits. Vous aviez jusqu'à midi pour quitter la chambre. Il est cinq heures. J'en ai besoin pour des touristes allemands qui devraient déjà être arrivés. Allez vite boucler vos valises pour que la femme de ménage puisse nettoyer la chambre.

Surtout, ne pas pleurer devant cet énergumène. Elle avala la grosse boule qui obstruait sa gorge.

— J'aimerais passer une autre nuit chez vous, dit-elle, hésitante. Vous savez sans doute que mon mari est à l'hôpital ?

— Je sais, répondit le Colombien. Comment va-t-il ?

— Une pneumonie. Le médecin a décidé de le garder encore vingt-quatre heures. Je voudrais rester ici jusqu'à ce qu'il soit libéré. Ça m'éviterait de devoir faire et défaire encore une fois nos bagages. Et puis, je ne sais pas où aller.

L'homme prit un air gêné. Il se pencha sur elle.

— Vous savez que je ne demande pas mieux que de vous aider. Entre Sud-Américains... Mais, je ne suis pas le propriétaire de la baraque. Je suis obligé d'obéir à la direction, sinon je perds mon job. Votre chambre est déjà réservée depuis longtemps et je n'en ai aucune autre de disponible pour le moment.

Maria se sentait au bord de la panique.

— Mais où vais-je passer la nuit? Je ne peux quand même pas dormir dehors!

Le Colombien passait et repassait sa main sur le papier.

— Je vais donner quelques coups de fil pour voir ce que je peux faire pour vous.

Il plaqua sa main sur l'appareil, mais avant de le soulever, il demanda à Maria:

— Vous êtes disposée à payer combien pour la nuit?

Elle rougit et baissa la tête, les yeux pleins de larmes.

— Bon. D'accord. J'ai compris. Allez faire vos valises. Je trouverai bien quelque chose selon vos moyens.

Elle descendit les valises une à une, puis les bagages à main, et finalement, les manteaux.

— Et alors? demanda-t-elle d'une voix de petite fille qui a peur de sortir toute seule dans le noir.

Il avait écrit un nom et une adresse sur une feuille de papier.

— C'est un endroit pas cher, si vous n'êtes pas trop regardante.

— Que voulez-vous dire?

Il articula lentement pour qu'elle le comprenne bien.

— En général, les chambres de cet établissement sont louées à l'heure. Vous me suivez?

Non, elle ne le suivait pas.

— Prostitution, quoi! Un hôtel de passes. Mais, en général, ils réservent deux ou trois chambres pour d'éventuels voyageurs... euh... disons, en difficulté, comme vous, et qui ne sont pas trop exigeants sur la question confort. Les chambres sont propres, je vous le garantis. Vous ne courez aucun risque. Le quartier est étroitement surveillé par les flics.

Remercier? Refuser? Elle ne savait pas quelle attitude prendre. Il décida pour elle.

— J'ai appelé un taxi. Un pote à moi. Il ne vous chargera que la moitié du prix de la course. Vous n'arriveriez pas à prendre le métro avec vos bagages.

≡∺

Une odeur étrange flottait dans la chambre où trônait un vaste lit ovale. Maria reconnut l'âcreté de la sueur, mélangée à des effluves pourtant familiers, mais qu'elle ne réussit pas à identifier. Deux serviettes propres attendaient sur une chaise qui obstruait l'ouverture de l'armoire où elle avait entassé ses bagages. La fenêtre donnait sur la façade latérale d'un immeuble de quatre étages, sans aucune fenêtre de son côté. Pour faire changement, il pleuvait. Une pluie fine et triste qui chassait les prostituées et transformait la rue en un désert humide. Un téléviseur, posé sur une étagère métallique, présentait une excroissance latérale dont la fonction lui échappait. Fixé au plafond, un grand miroir augmentait les dimensions verticales de la chambre. Le matelas était dur, avec un creux au milieu, peu confortable.

À son arrivée, un portier de mauvaise humeur lui avait remis une clé sans dire un mot, en échange du paiement pour une nuit. Par gestes, il lui avait fait comprendre que le numéro gravé dessus correspondait à une chambre du rez-de-chaussée. Elle eut une pensée émue pour le Colombien exilé qui avait tellement envie de contempler les fesses des femmes.

Elle prit une longue douche et laissa l'eau chaude dissiper toute la crasse de la journée. Couchée, la tête calée sur deux oreillers, elle pianota sans succès sur la télécommande du téléviseur avant de comprendre que la boîte grise, fixée du côté gauche de l'appareil, n'était pas un haut-parleur. Elle retourna ses poches, puis fouilla dans son sac, mais ne trouva aucune pièce de monnaie. La boîte n'acceptait pas les billets. Elle se recoucha et, d'une pression du pouce, coupa l'alimentation. Le grésillement cessa pour faire place à un silence entrecoupé de sons qu'elle ne tarda pas à reconnaître. Des gémissements et des halètements perçaient les murs, accompagnés de mots mystérieux et de pleurs qui ne pouvaient appartenir qu'à une personne très jeune. Pendant un certain temps, elle eut l'impression que quelqu'un s'était arrêté derrière sa porte. Elle retint sa respiration jusqu'à ce qu'elle fût certaine d'entendre les bruits, dans le couloir, s'éloigner.

Maria sombra dans une somnolence troublée par des scènes érotiques. Ses voisins entraient librement dans sa chambre et la violaient à tour de rôle, sous les regards ironiques de plusieurs prostituées qui commentaient ses performances sexuelles. Elle se réveilla vers quatre heures du matin. La pluie battait sans relâche contre la fenêtre. Elle tendit l'oreille. L'hôtel était silencieux. Elle se retourna d'un côté, puis de l'autre. Les images de son rêve revenaient avec une force tenace. Elle réarrangea les coussins devenus soudainement trop chauds. L'image de l'homme et de son manteau noir, traversant la place glacée, la faisait frémir. Elle passa doucement une paume moite sur la pointe de ses seins. L'autre main descendit tout au long de son ventre. Elle retarda la jouissance autant qu'elle le put.

La clarté du jour la tira de son sommeil. Son corps n'était toujours pas satisfait et son âme en déroute se demandait en quel genre de dépravée elle était en train de se transformer.

∷∷

Lúcio reçut finalement son congé de l'hôpital avec la recommandation de prendre des antibiotiques pendant une semaine. Pour le reste, il était libre de faire ce qu'il voulait. Il tiqua quand on lui remit une copie de la facture, puis haussa les épaules. Cela ne le concernait pas. L'assurance existait pour faire face à ce genre d'imprévu.

L'amour à l'heure, l'amour monnayé bruissait dans les chambres voisines. Allongé sur le lit, encore un peu pâle, Lúcio décida, malgré les protestations de Maria, de louer la voiture le lendemain et de quitter immédiatement la ville.

— L'air de la campagne ne peut que me faire du bien, la rassura-t-il. Et puis, cette ville me tape sur les nerfs. Des gens, des magasins, des voitures. Exactement la même chose qu'à São Paulo, avec un peu moins de pollution. Au moins, chez nous, il fait chaud n'importe quand. Ici, on gèle même au printemps. Pas moyen de se promener dehors sans attraper la crève. Je trouve qu'on a assez perdu de temps dans ce sale coin.

À la télévision, on passait un film d'action, plein de coups de feu, d'explosions, et de corps déchiquetés qui volaient dans tous les sens. Son bruit étouffait les rumeurs des chambres voisines. La tête de Maria reposait sur la poitrine de Lúcio.

— Tu te sens bien? demanda-t-elle.

— En pleine forme. Pourquoi?

Il n'avait même pas maigri et, vu le dîner qu'il avait englouti, il ne mentait certainement pas. Il caressait ses cheveux, pris par l'action de l'écran. Elle joua avec les poils de son ventre, puis fit glisser sa main sous l'élastique de son pyjama. Quand il la pénétra, elle eut l'impression que plusieurs hommes l'entouraient et l'obligeaient à les satisfaire. Elle jouit avec une telle violence que Lúcio se redressa sur les coudes et l'observa, perplexe.

CHAPITRE V

La route longeait le fleuve. Les grandes eaux couraient vers l'est, placides, invincibles dans leur lenteur éternelle, à la rencontre d'un soleil privé de sa chaleur. L'autre rive apparaissait comme un trait gris lointain qui se confondait avec les nuages. Le vent soufflait en permanence et aidait les mouettes à planer dans des hauteurs glacées. Un cargo remontait le courant, mastodonte lent et trapu, alourdi par des conteneurs couleur de rouille, empilés sur son pont. Des vaguelettes heurtaient la grève dans un mouvement nerveux de va-et-vient et arrondissaient patiemment les galets plats. Le soleil anémique jouait avec l'écume et y dispersait sa lumière dans une myriade de paillettes étincelantes. Le triangle ouvert d'un vol d'oies sauvages pointait vers des lacs distants. Aux bourgs campagnards, enfoncés dans leur riche terre noire, se succédaient de minuscules villages de pêcheurs, coincés au fond d'anses boisées. Des rangées de saules formaient des coupe-vent qui divisaient le sol en quinconces irréguliers. Les champs dormaient encore. Des arbres sans feuilles, aux branches recouvertes de bour- geons, attendaient, résignés, un peu plus de chaleur pour revivre. La route et le fleuve s'enfonçaient dans un horizon qui s'éloignait sans cesse. Le monde devenait fluide, coulant, soluble.

Maria posa sur Lúcio un regard admiratif. Les jours passés à l'hôpital n'avaient pas été complète- ment perdus. Son mari en avait profité pour potasser son anglais et avait réussi à enrichir son vocabulaire d'une trentaine de nouveaux mots. Il se débrouillait déjà sans trop de difficulté dans les situations les plus courantes.

Il discutait maintenant avec un commis de l'agence de location de voitures de la possibilité d'obtenir un rabais. Avec un coup de pouce de son dictionnaire, et le calme bienveillant du jeune homme assis devant lui, il parvenait presque à se faire comprendre. Il finit par choisir un modèle économique et obtint, à force de geindre, une minus- cule remise. L'employé amena le couple jusqu'au stationnement et leur remit la clé du véhicule.

Lúcio s'étonna de l'étrange levier de change- ment de vitesse. Le commis retint une remarque ironique.

— Voiture automatique, expliqua-t-il. Si vous n'y êtes pas habitués, ce sera vite fait. En arrière pour aller en avant, et en avant pour aller en arrière. Votre pied gauche va prendre quelques jours de repos. Je vous souhaite bon voyage.

Ils roulaient maintenant sur une chaussée étroite, fleuve à gauche, champs à droite, avec l'impression d'être les seuls représentants de la race humaine à des lieues à la ronde. Cette impression ne dura que peu de temps. Ils virent, en même temps, le paysage immense dévoilé par un virage et le gyrophare de la voiture de police embusquée. Le fleuve s'élargissait encore plus et dissimulait son autre rive, derrière l'horizon. Un voilier solitaire, poussé par un vent d'ouest, donnait la mesure de cette grandeur inhumaine. Par contre, la Chevrolet, stationnée sur le bas-côté, ressemblait à un arbre de Noël. Un policier leur fit signe de s'arrêter tandis qu'un autre les observait, assis derrière le volant. Le premier s'approcha, méfiant, la main posée sur la crosse de son arme. Il dévisagea d'abord le couple, sans rien dire, puis inspecta le siège arrière. Il finit par prononcer quelques mots qui se perdirent dans l'air frais. Il les répéta d'un ton cassant. Lúcio retira les documents de la voiture et les lui présenta en même temps que leurs passeports. Peine perdue. L'humeur de l'autre ne s'améliora guère. En gestes agressifs, il leur enjoignit de descendre et héla son collègue avec qui il entama un long conciliabule tout en feuilletant les carnets verts. Le nom «Brésil» y revint à plusieurs reprises. Lúcio consulta fébrilement son dictionnaire. Il résuma une longue question en un seul mot.

— Problème ?

Il reçut une réponse mal polie qu'il interpréta à juste titre comme « bouclez-la ».

Les flics gesticulèrent pour leur faire comprendre qu'ils devaient les suivre. Pour appuyer leur mimique, ils leur remirent les documents de la voiture mais gardèrent les passeports.

Le village était situé derrière l'ondulation d'un terrain et sans la signalisation, ils ne se seraient jamais doutés de sa présence. Les rues désertes, dépourvues de végétation, se croisaient à angles droits. L'église et son clocher carré, de style roman, dominaient l'agglomération. Le commissariat jouxtait un supermarché. Le vent sifflait et secouait une gigantesque canette de bière qui, fixée à la façade, faisait office de pub et menaçait de se détacher à tout instant. Une symphonie de cloches salua leur arrivée.

Ils étaient quatre, maintenant, dont une femme policière en civil, revolver sous le bras gauche. Ils inspectèrent consciencieusement leurs valises après avoir systématiquement examiné la voiture et fouillé ses occupants.

— Vous cherchez quoi ? demanda Lúcio, formant ainsi la phrase la plus longue depuis leur arrivée.

Un des hommes lui prit le dictionnaire des mains, s'assit, saisit un stylo, feuilleta le livre et écrivit : « Amérique du Sud. Drogue. »

Lúcio soupira.

— Ils nous prennent pour des trafiquants de drogue parce que nous sommes Brésiliens, souffla-t-il à Maria. C'est sous doute notre teint bronzé qui a attiré leur attention.

— Tiens donc! Parce qu'ils ont beaucoup de problèmes de drogue dans ce trou perdu?

— Je n'en sais rien. Peut-être.

— Ce ne serait pas étonnant. Un max, l'animation de leurs rues. S'ils prennent des drogues, c'est en famille ou en réunion avec le maire.

Elle serra les poings.

— En attendant qu'ils prouvent que nous sommes des dealers, ils foutent le bordel dans nos vêtements, siffla-t-elle, furieuse. C'est une manie chez ces gens! Ça me crispe de ne pas pouvoir leur dire ce que je pense de leurs manières.

Elle s'arrêta pour reprendre son souffle.

— Quand je pense que c'est nous qui avons la réputation d'être grossiers et sans éducation! Je m'en souviendrai de ton monde civilisé!

Lúcio fit une grimace désabusée.

— Comme tu dis, la police ne doit pas avoir grand-chose à faire dans un trou pareil. Ils se défoulent sans doute en emmerdant les étrangers de passage. La drogue n'est qu'un prétexte. Ils ne doivent pas apprécier nos peaux foncées.

— Je la préfère à leur apparence de zombi transparent qui me fout la chair de poule.

Elle huma l'air du commissariat.

— En plus, il ne doit pas se vendre des masses de désodorisant dans le patelin. Même la bonne femme pue le bouc, acheva-t-elle, butée.

Celui qui paraissait être le chef introduisait maintenant les données de leurs passeports dans un ordinateur. La réponse fut prompte et parut le décevoir. Il échangea quelques mots avec ses acolytes qui semblèrent acquiescer. Ils entassèrent les affaires dans les valises et leur remirent, avec les documents, et leur firent signe de débarrasser le plancher.

Le visage blanc de rage, Maria pleurait d'humiliation quand Lúcio tourna la clé de contact.

Le soir tombait déjà quand ils rejoignirent la route principale. Avant de se perdre dans l'obscurité, ils décidèrent de passer la nuit dans un *Bed & Breakfast*. L'aspect de l'établissement était plutôt minable, mais il possédait l'avantage d'être bon marché. Après avoir remis leurs valises en ordre, ils mangèrent frugalement des sandwichs jambon-fromage, arrosés d'une demi-bouteille de gros rouge, et ils sortirent ensuite se dégourdir les jambes.

Le fleuve coulait, tout proche. Il clapotait contre la grève et détrempait l'air d'une humidité froide. Le soleil se couchait dans une débauche de tons rouges, reflétés par un banc de nuages immobiles au-dessus de l'autre rive qu'ils ne pouvaient que deviner. Une sensation d'irréalité s'empara de Maria. Elle se sentait perdue dans un monde hostile avec des désirs qu'elle ne contrôlait plus qu'à grand-peine. Elle se serra contre Lúcio qui embrassa ses cheveux. Un chemin de terre les mena jusqu'au bord de l'eau.

Au fur et à mesure que le soleil sombrait, les rouges devenaient de plus en plus foncés. Il ne resta bientôt plus qu'une luminescence vague, une gigantesque braise cosmique qui finit par s'éteindre. Des étoiles, qui leur étaient étrangères, remplirent le firmament.

— J'en ai plein les bottes de ce pays, geignit Maria tout bas. Je veux rentrer à la maison.

Il rit.

— T'es folle ou quoi ? C'est maintenant que nos vacances commencent pour de bon.

— Parce que tu appelles ça des vacances ?

Elle frissonna et ajouta :

— Tu es d'un optimisme délirant.

Il l'enlaça et l'embrassa sur les lèvres. Elle le repoussa sans ménagement.

— Depuis notre arrivée (elle compta sur ses doigts), la police des frontières nous a pris pour des clandestins, tu as attrapé une pneumonie, j'ai passé la nuit dans un bordel et, pour finir, des flics locaux nous considèrent d'office comme des trafiquants de came parce que nous sommes Brésiliens, que nos cheveux ne sont pas blonds et que nos yeux ne sont pas bleus. Sans parler du fait que nous avons besoin d'un dictionnaire pour acheter du pain et une bouteille de vin sans nous faire arnaquer. Comme si nous étions devenus des débiles mentaux...

Elle haussait de plus en plus le ton et criait presque lorsqu'il la fit taire en l'embrassant. Elle se laissa faire sans réagir. Il essaya de distinguer ses traits dans le noir, mais ne vit que le blanc de ses yeux.

— C'était quand même une belle ville, finit-il par dire.

— Ah, ouais! Trop froide, avec trop de vent et de pluie, ta belle métropole, si tu veux mon avis.

Elle aimait son odeur, elle aimait sa force, elle aimait le goût de sa peau. Pourquoi donc ressentait-elle cette insatisfaction, ce manque de quelque chose qu'elle n'arrivait pas à définir?

— On trouve de tout dans leurs magasins. C'est pas comme chez nous.

Elle l'interrompit.

— À quoi servent les magasins si on ne peut rien acheter parce que l'argent est compté? C'est comme les bons restaurants. On lit les menus, on imagine les plats, on s'en remplit la bouche de salive jusqu'à en baver, puis on va voir ailleurs, où la bouffe est moins chère.

— Ce n'est pas de ma faute, l'entendit-elle soupirer. Je fais ce que je peux.

Ces mots, à peine audibles, la transpercèrent comme un fer de lance. Une boule élastique lui bloqua soudain la gorge et l'empêcha de parler. Elle ne réussit qu'à se serrer un peu plus contre lui, dans l'obscurité où clapotait le grand fleuve.

Un oiseau de nuit lança un cri sauvage. Les phares d'une voiture dessinèrent au-dessus de leurs têtes deux cônes de lumière jaune. Les arbres prirent l'allure de derviches tournant sur eux-mêmes. Le mouvement et la lumière disparurent ensemble. Un fin croissant de lune monta dans un ciel farci d'étoiles. Ils n'en reconnurent aucune.

≖≖

La route s'engagea dans une forêt de pins. D'énormes éboulis rocheux témoignaient de cataclysmes millénaires. Pas d'êtres humains, pas d'animaux. La vie semblait se résumer au vert éternel des arbres. De-ci, de-là, des plaques de neige refusaient de disparaître, tout en laissant sourdre des ruisseaux cristallins. Le ruban noir de l'asphalte, coulé par des civilisations anciennes, s'étirait sans fin et semblait ne mener nulle part.

— Arrête-toi! ordonna Maria.

— Pause pipi? Tu vas te geler les fesses, ma belle. Tu ne préfères pas attendre qu'on arrive au prochain village? Ce n'est plus tellement loin.

— Arrête-toi, je te dis.

Une coulée de neige remplissait une dépression du terrain et se terminait abruptement contre le goudron. Elle ouvrit la porte, respira l'air pur qui s'engouffrait dans l'habitacle et posa les pieds sur la surface blanche et immaculée. Elle se pencha en avant, y enfonça un doigt, puis en saisit une poignée qu'elle se mit à pétrir. Lúcio sortit, contourna la voiture et la rejoignit.

— C'est froid, constata-t-elle.

Il prit un air narquois.

— Tu t'attendais à quoi? À de la neige chaude?

Il évita de justesse la boule. Il jeta un amas de flocons dans sa direction. Pendant une dizaine de minutes, ils s'amusèrent comme des enfants avec ce restant de neige, laquelle ils découvraient pour la première fois. Un camion passa en s'époumonant dans la montée. Le chauffeur leur cria quelque chose qui se perdit dans le bruit du moteur. Ils ne l'auraient pas compris, de toute façon.

— Il doit croire qu'on est dingues.

Les yeux brillants de Maria se détachaient sur le fond de ses pommettes rougies par l'effort et le froid.

— Ou alors que nous sommes des connards de touristes qui n'ont jamais vu de neige auparavant, conclut Lúcio.

Il plia et déplia ses doigts plusieurs fois avant de réussir à saisir le volant.

À la sortie d'un col, la route déboucha sur un plateau. Tout y était blanc, hormis la traînée sombre de la route dégagée. Au sommet d'une colline rabotée se dressait une tour de retransmission radiotélévisuelle.

— On dirait que le printemps est en retard dans le coin, constata Lúcio.

Elle se contenta de secouer la tête.

— Quelle beauté, continua-t-il.

Malgré l'agréable chaleur qui régnait dans la voiture, Maria frissonna.

Une certaine forme de beauté, peut-être. Une beauté sans vie, mortelle. Une beauté dangereuse qu'elle n'aimait pas. Elle déplia la carte routière.

— Où se trouve cette ville où nous sommes censés boire un café bien chaud et trouver des toilettes propres?

Il jeta un coup d'œil oblique à sa femme.

— Tu déprimes en vacances? C'est nouveau. Allez! Du courage, que diable! Dans quelques jours, on retourne au turbin. Tu supporteras bien la bonne vie jusque-là, sans devoir faire le ménage, ni les courses, ni t'entasser dans un autobus bondé pour te rendre au travail.

— J'y arriverai, à la condition d'avaler une boisson bouillante dans les prochaines vingt minutes, d'accord ? Ou alors tu rentreras seul après avoir abandonné ma carcasse, recouverte de pierres, sous un arbre. On me retrouvera dans deux ou trois mois, si les loups ne m'ont pas dévorée avant.

— Promis. Mais je t'avertis, il n'y a pas de loups ici. Rien que quelques charognards volants qu'ils ont d'ailleurs importés de chez nous.

Ils roulèrent en silence.

— Regarde !

Elle montrait du doigt une ondulation du terrain.

— Suis les fils électriques.

Presque invisibles, des constructions basses, aux toits plats, émergeaient de la neige. Maria replia la carte et croisa les bras sur sa poitrine.

— C'est ça, la terre promise ? Elle me fait froid dans le dos. On dirait une ville morte.

Un panneau défraîchi, orné d'un poisson presque effacé, les informa qu'il leur restait cinq kilomètres à franchir avant d'arriver au paradis des pêcheurs.

Les rues du village avaient été dégagées. La neige ne s'accrochait plus qu'aux toits des maisons et recouvrait complètement les deux seules voitures stationnées qu'ils aperçurent. Quelques cheminées expulsaient de maigres volutes de fumée grise. Il n'y avait pas âme qui vive.

— Pas très drôle l'étape gastronomique. Et puis, ça grouille de monde ton paradis des pêcheurs. Si j'étais un poisson, c'est ici que j'aimerais venir nager.

Lúcio haussa les épaules.

— En plus de la déprime, tu deviens parano.

— T'as remarqué? demanda subitement Maria.

— Remarqué quoi?

— Une chose qu'il y a partout, sauf ici.

Il arrêta la voiture à un carrefour.

— Arrête tes devinettes. Je ne vois pas de quoi tu parles.

— Il n'y a pas d'église dans ce patelin! Je ne veux pas rester dans un village sans église.

— Mais qu'est-ce qui te prend? Tu ne vas pas à la messe depuis ta première communion. Nous ne sommes mariés que civilement. T'as besoin d'une église pour quoi faire?

Elle ne se laissa pas démonter.

— On prendra le café ailleurs. Allez, on s'en va!

Ils contournèrent lentement un pâté de maisons dont la station-service occupait un des coins. Le logo jaune de Shell brillait faiblement. Un amoncellement de vieux pneus s'appuyait contre une carcasse de camion qui achevait de rouiller. Le vent agitait une affiche à moitié décollée sur laquelle une beauté exubérante se frottait à un baril d'huile. Au-dessus de la porte, on pouvait lire: «Bar-Restaurant».

— Ça tombe pile. On fait le plein d'essence et de café. Puis on se tire.

Il stoppa à côté d'une pompe solitaire.

— Attends ici, dit-il, avant de s'extraire de l'habitacle. Je vais voir à quoi ça ressemble.

Il faisait froid, un froid polaire contre lequel son corps et ses vêtements n'arrivaient pas à lutter. Il se précipita en courant vers la porte.

L'endroit tenait plus du bar de pionniers que du restaurant de luxe. Quatre tables, un comptoir très court, des cartons de bières entassés au fond, un distributeur de Coca-Cola et une pub de boisson suspendue au mur où des femmes à demi nues souriaient sottement. Une demi-douzaine d'individus, la plupart mal rasés, entouraient quatre joueurs de cartes. Derrière le bar, celui qui devait être le propriétaire de l'endroit regardait un téléviseur dont l'image sautait sans arrêt.

Les joueurs posèrent leurs cartes sur la table. Tout le groupe se retourna pour observer le Brésilien en silence.

— Essence, demanda-t-il au personnage scotché à son écran. Essence, s'il vous plaît.

L'autre lui fit un signe de main impatient, lui signifiant qu'il n'avait qu'à se servir.

— Ils servent certainement du café. On pourrait même dégoter un sandwich avec un peu de chance.

Lúcio trépignait sur place pour se réchauffer devant la glace que Maria n'avait baissée que de quelques millimètres.

— Tu y vas pendant que je fais le plein. N'oublie pas de dire «s'il vous plaît», lança-t-il, alors qu'elle atteignait déjà la porte et qu'il retirait le tampon du réservoir avec des doigts gourds.

Ses phalanges faillirent rester collées au levier quand il enfonça le pistolet à sa place.

Il retrouva Maria pétrifiée, assise entre deux hommes qui riaient à gorge déployée. L'un d'eux essayait de lui retirer son manteau. L'autre lui offrait une bouteille de bière déjà entamée. Il s'approcha, l'adrénaline circulant à toute vitesse dans ses veines. Plusieurs exclamations s'élevèrent de la table des joueurs. Il calcula ses chances contre le duo qui entourait sa femme. Aucune, évidemment! Il opta pour la voie diplomatique. «Bière», commanda-t-il en faisant comprendre qu'il payait la tournée. Il s'assit à côté de Maria en souriant et en maîtrisant un début de panique. Une phrase fut répétée plusieurs fois, dont il ne saisit que le mot nègre. Une main lui arracha son passe-montagne qui se transforma en balle entre les deux tables. Ses tentatives de l'attraper ne firent qu'augmenter l'hilarité générale. Le tenancier, qui observait la scène en silence, saisit un téléphone, dit quelques mots à l'appareil et raccrocha.

Lassé de jouer, un homme caressa les cheveux de Maria. Il se retrouva assis par terre, le nez pissant le sang. Lúcio secouait sa main endolorie. Un silence outré s'abattit sur le salon rompu par le bruit d'un moteur qui cala devant la porte. Le nouveau venu portait un uniforme et trimbalait un imposant automatique pendu à la ceinture. Lúcio posa sur la table la bouteille qu'il venait de saisir. Maria sanglotait, tout bas.

Le policier se dirigea tout droit vers le bar, comme si la scène ne le concernait pas. Le patron lui tendit un verre et une bouteille de cognac. Il but sans hâte, le dos tourné au salon. L'homme effondré se releva, la chemise tachée de sang, en comprimant un mouchoir contre son nez. Des murmures commençaient à s'élever quand le policier fit volte-face. Un dialogue de propos brutaux s'établit où revint plusieurs fois le mot nègre. Puis, les joueurs reprirent leurs cartes et leurs bières et ne firent plus attention au couple. Lúcio se massait les doigts de la main droite. Maria essuyait ses larmes.

Le policier s'adressa à eux, mais en vain. Par geste, il leur fit comprendre qu'ils devaient payer les boissons et l'essence, puis le suivre.

Il ne faisait guère plus chaud au poste de police que dans la rue. Le bâtiment faisait partie d'une structure plus complexe qui comprenait un bureau de poste réduit au strict nécessaire, et ce qui paraissait être une bibliothèque pourvue de rayons pleins de livres d'aspect neuf. Un banc contre un mur, deux chaises, un bureau et un fauteuil composaient le mobilier. La souris d'un ordinateur, posée à côté d'une grosse liasse de chemises brunes, clignotait. Une armoire sans porte exhibait toute une panoplie d'armes à feu attachées les unes aux autres par une chaîne cadenassée. Dans le fond, des grilles formaient deux cages. Une seule était occupée par un personnage qui ronflait haut et fort.

Les Brésiliens eurent droit à une nouvelle fouille, tout aussi minutieuse que les précédentes. Leurs passeports furent scannés et envoyés par télécopieur. Assis sur le banc, Maria et Lúcio se tenaient par la main. Rien ne se lisait sur le visage du policier, si ce n'était qu'une vague sensation d'ennui. Ils attendirent plus d'une heure, rythmée par les ronflements du prisonnier. Un carillon sonnait toutes les demies. Maria avait envie de crier. L'estomac de Lúcio gargouillait. Sa joue gauche lui faisait mal, à l'endroit où un poing l'avait heurté sans trop de force. Il consulta son dictionnaire et, pour la énième fois, demanda :

— Que se passe-t-il ?

Pour la ixième fois, le policier posa sur lui un regard inexpressif, prononça quelques mots inintelligibles et retourna à sa méditation. Une imprimante cliqueta. Il lut lentement la feuille éjectée. Sans mot dire, il leur remit leurs documents et, gestes aidant, leur montra qu'ils n'avaient plus rien à faire dans sa ville, qu'ils n'étaient pas les bienvenus et qu'ils devaient se barrer, dégager, foutre le camp, aller se faire pendre ailleurs.

— On aura au moins fait le plein, murmura Lúcio, philosophe, en se passant la main sur la joue, où s'étalait maintenant une ecchymose bleutée.

Maria se rencognait dans un mutisme obstiné.

— Faut pas m'en vouloir. C'était le seul patelin du coin. J'ai cru bien faire. Je ne pouvais pas savoir que ces troglodytes ne voient des nanas que deux ou trois fois par an. Y'a pas de quoi faire la gueule.

Il repassa la main sur sa joue et ajouta :

— C'est moi qui y ai goûté !

Silence. Il soupira et se concentra sur la route. Ils passèrent par un autre col et amorcèrent leur descente vers le fleuve. Des nuages bas diffusaient une lumière mélancolique. La neige du plateau se réduisit rapidement à quelques plaques protégées par des zones d'ombre, puis disparut complètement. Une végétation rabougrie rampait entre des blocs de pierre jetés au hasard par des convulsions tectoniques oubliées.

— Ça suffit, quoi ! Je voulais simplement boire un café et faire le plein. Des types t'emmerdent, je me fais tabasser, on se retrouve au poste. Et c'est à moi que tu n'adresses plus la parole ! On divorce maintenant ou quand on sera rentrés chez nous ?

Malgré sa mauvaise humeur, Maria ne put s'empêcher de sourire.

— D'ici peu, continua-t-il, on arrivera dans une ville un peu plus grande. Du moins, c'est ce que promet le guide. Faudra bien qu'on se trouve un petit hôtel ou un *Bed & Breakfast*. On prend deux chambres ? C'est toi qui décides. Mais, je t'avertis. Dormir ensemble, ça nous reviendra moins cher.

Elle promena ses doigts sur le coquart qui ornait le visage de son mari.

— Mon pauvre amour. Je t'en veux pour m'avoir défendue contre ces idiots. Je t'en veux pour ce voyage qui n'est toujours pas commencé. Je t'en veux parce que la réalité ne correspond pas à mes rêves. Je t'en veux parce que... parce que...

Elle éclata en sanglots. Il lui caressa les cheveux.

— La prochaine fois, on apprendra à se débrouiller dans la langue du pays.

— J'espère qu'on ne choisira pas le Japon,
murmura-t-elle, en se frottant les yeux.

CHAPITRE VI

Du promontoire où ils s'arrêtèrent, un panorama grandiose leur coupa le souffle. La route descendait en lacets jusqu'à une bourgade blottie entre une rivière et le fleuve. Ce dernier était devenu tellement large qu'ils se croyaient devant la mer. Une forêt de pins et de bouleaux recouvrait les collines. Elle finissait là où des maisons vieillottes se serraient frileusement autour d'une église en forme de barque de pêche. Le reste de la ville formait un damier régulier qui épousait les ondulations du terrain et venait mourir dans un petit port où se mélangeaient bateaux de plaisance et quelques barques de pêche, survolées par une bande d'oiseaux de mer. L'arche élégante d'un pont enjambait la rivière et permettait à la route de disparaître entre la forêt et les champs en friche.

Un grain s'éloignait vers l'est, en direction de l'océan invisible. Les nuages s'ouvraient par endroits et laissaient passer des rayons vaporeux de lumière.

Assis sur le capot de la voiture, Maria et Lúcio contemplaient, fascinés, toute cette beauté. Le vent, plus calme, leur apportait des senteurs de terre mouillée et agitait sans colère les faîtes des arbres. Un ruisseau coulait quelque part dans les sous-bois et émettait une note cristalline à chaque saut. Un corbeau prit son vol derrière eux et, par un cri rauque, protesta contre leur intrusion dans son domaine.

— D'après le guide, nous avons le choix entre trois hôtels. Le moins cher est celui-ci.

— *Au Repos du voyageur*, lut-elle. On ne peut pas dire que ce soit un nom vraiment original. Les autres, c'est quoi? *Hôtel de la Gare? Au Gîte du passant? Au Lit douillet?*

— Choisis, ordonna-t-il, excédé.

— Va pour le *Repos du voyageur*.

▬▬

La maison bleue et blanche, de style pseudo-colonial, occupait l'extrémité d'un quartier qui avait débordé sur l'autre berge de la rivière. Une vue imprenable sur le front d'eau compensait son aspect modeste. Le bâtiment paraissait désert. Ils sonnèrent plusieurs fois et s'apprêtaient déjà à rebrousser chemin quand on entrebâilla la porte. Une femme en peignoir, les cheveux ébouriffés, leur demanda ce qu'ils voulaient.

— Une chambre, dit Lúcio.

Elle les invita à entrer, referma soigneusement la porte, et leur tint un petit discours dont ils ne comprirent pas un traître mot. Elle répéta son laïus, mais devant l'inutilité évidente de ses efforts, elle les invita à la suivre.

Les quatre chambres disponibles se ressemblaient par leur décoration. Partout des têtes d'animaux empaillées, des épées, de vieilles carabines et quelques pistolets tout droit sortis d'une histoire de pirates. Plusieurs photos montraient des chasseurs en tenue traditionnelle, aux pieds desquels gisaient des monceaux d'animaux abattus. Quelques tableaux illustraient des scènes de chasse à courre, de batailles navales et de pêche à la baleine. Les animaux et les hommes mouraient presque heureux d'être trucidés par autant de héros souriants. Par contre, les chambres étaient pourvues de lits énormes et disposaient chacune d'une salle de bains. Les prix étaient vingt pour cent moins élevés que ceux indiqués dans le guide, basse saison oblige.

Ils choisirent celle du premier étage, pour sa vue. Une fois les bagages déposés, Lúcio descendit remplir les formulaires d'usage. La propriétaire portait le nom de Töfting, comme l'annonçait un écriteau. Elle s'y prit à plusieurs reprises pour lui demander, et surtout comprendre, pour combien de jours ils voulaient louer la chambre.

De la salle de bains s'élevaient les bruits d'une douche. Il imagina Maria nue, l'eau coulant sur son corps nerveux. Une bouffée de désir le saisit en même temps qu'une irrésistible lassitude, provoquée par l'agréable chaleur de la pièce. Il s'affala sur le lit et s'endormit, sans même retirer ses souliers.

Le jour suivant passa comme un rêve : le premier vrai jour de leurs vacances. Le soleil s'était mis de la partie et réchauffait le sol gelé. Les eaux limpides de la rivière miroitaient. L'arrivée d'un petit chalutier avait décuplé le nombre de mouettes qui tourbillonnaient en criant au-dessus du quai. Ils achetèrent des provisions, s'offrirent une bonne bouteille de rouge et organisèrent un pique-nique dans une clairière qui leur permettait d'entrevoir le magnifique spectacle de quelques îles lointaines, et des ombres mouvantes que projetaient sur les grandes eaux les nuages poussés par un violent noroît. Le continent se terminait là, à leurs pieds. La terre se dissolvait lentement dans les eaux glacées où les phoques passaient la saison de leurs amours. Derrière eux, une chaîne de montagnes basses et recouvertes de neige, barrait l'horizon. Des nuées grises s'y cognaient dans leur fuite désespérée vers l'ouest. Dissimulés par des arbres centenaires, des elfes et des fées susurraient les mots magiques qui soutenaient l'univers. Ils mangèrent en silence, bouleversés par leur rencontre avec l'infini.

Le soir, ils dînèrent dans leur chambre. Puis, comme les images de la télévision ne les intéressaient pas, ils firent l'amour en prenant leur temps. Encore une fois, un orgasme violent secoua Maria, nourri de fantasmes dont Lúcio ne soupçonnait même pas l'existence. Elle s'endormit, lovée contre le corps de son mari, trop épuisée pour se sentir troublée par l'intensité de son plaisir.

Le jour suivant parut d'abord aussi prometteur que le précédent. Ils furent réveillés par les cris des oiseaux de mer qui saluaient l'arrivée des pêcheurs. Le soleil brillait, mais bientôt un vent fort, chargé d'odeurs marines, rassemblait au-dessus des collines des nuages sans couleurs. Le temps de prendre leur petit-déjeuner et le ciel s'éclipsa, remplacé par un plafond sombre et menaçant. Ils choisirent de visiter la ville, mais durent se rendre à l'évidence. Il faisait trop froid pour traîner dans les rues désertes, et les vitrines des magasins n'offraient rien qui puisse intéresser des touristes étrangers. Ils se réfugièrent dans un centre commercial où ils flânèrent en attendant l'ouverture des cinémas. Ils firent quelques menus achats, dont une dizaine de cartes postales, décidés à passer encore une fois la soirée dans leur chambre.

— Dommage qu'on s'en aille demain, dit Maria, assise en lotus sur le lit. La chambre me plaît, la ville est charmante et nous n'avons pas eu d'ennuis depuis près de quarante-huit heures. Pas de fouille, pas de maladie, pas de policier de mauvaise humeur, pas de bar louche et personne pour nous taper dessus. On nous prend pour de vrais touristes. Un record !

— Tout le monde sait que je n'ai attrapé une pneumonie seulement pour t'emmerder. J'ai aussi payé de ma poche tous les flics du coin pour ajouter un peu de piment à un voyage, par ailleurs, plutôt monotone, répondit-il, sans dissimuler son amertume.

— Je n'ai pas voulu dire ça, rétorqua-t-elle en riant.

— Mais tu l'as dit! En attendant, je te laisse écouter la télévision. J'ai autre chose à faire que de supporter tes états d'âme et discuter des désagréments de notre périple.

Il se leva, remit ses souliers et enfila son manteau.

— Je peux savoir où tu vas?

— Je vais me trouver une gentille petite indigène du cru et m'envoyer en l'air avec elle toute la nuit.

— Tu as déjà une indigène à ta disposition. Bien bronzée et prête à assouvir tous tes caprices. Dans le patelin, tu ne risques guère que de trouver de la peau couleur de craie, des cheveux blonds filandreux et peu d'imagination au lit.

— Je suis persuadé que ces femmes, que tu méprises tant, me comprendront mieux que toi et ne me reprocheront pas l'agressivité de leurs compatriotes. D'ailleurs, les beaux jeunes hommes bronzés ne courent pas les rues dans le secteur. Je vais faire un tabac.

Il acheva de se boutonner.

— Sans blague. Où vas-tu?

— Ah! Ah! Le remords te rongerait-il déjà? Il faudra me supplier à genoux pour le savoir.

Elle sauta du lit et se pendit à son cou.

— À genoux, je peux faire mieux que supplier, tu sais.

Elle enfonça résolument sa langue dans sa bouche et l'entraîna vers le lit. Il n'offrit qu'une résistance symbolique.

— Tu ne sors plus? ironisa-t-elle en lui échappant. Tu ne pars plus à la chasse de ta Marilyn Monroe en me laissant les boyaux tordus par les regrets?

— Non, grogna-t-il. Je vais faire le plein d'essence et vérifier la pression des pneus. Demain, on prend le petit-déjeuner, on plie bagage, on paye et on s'en va. Il nous reste beaucoup de chemin à faire en peu de temps.

<hr />

Lúcio fit lentement le tour de la ville en savourant le silence et la chaleur de l'habitacle. Parfois, un passant solitaire dérangeait la tranquillité des rues vides. Ses phares éclairaient d'une lumière fugace les façades grises. En quelques minutes, il atteignit la grand-route et laissa derrière lui les dernières maisons. Il se retrouva dans un désert obscur, où ne bougeaient que des silhouettes d'ombre, animées par le passage de sa voiture. Il roula sans hâte quelques kilomètres sans réussir à dominer la montée d'angoisse qui menaçait de le subjuguer, au fur et à mesure qu'il s'enfonçait dans ce trou de noirceur. Dans un crissement de pneus, il fit brusquement demi-tour.

Une louve romaine décorait les deux pompes, ainsi que le bâtiment qui servait de bureau et d'entrepôt de pièces de rechange. Le garagiste souleva le pouce pour lui montrer que la pression des pneus était parfaite et se hâta vers la caisse, suivi de près par Lúcio qui se frottait les mains. L'homme passa la carte de crédit dans le lecteur, appuya sur quelques touches et attendit. Il sourit à Lúcio et lui dit quelques mots. Lúcio lui retourna son sourire en silence. Le voyant de l'appareil clignota. L'homme grommela une phrase furieuse, tapa sur l'appareil avec la paume de sa main, et repassa la carte. Puis il fit une troisième tentative avant de la rendre à son propriétaire et de l'inviter à lire ce que l'écran à cristal liquide affichait.

Lúcio lut: « Transaction refusée. » Il n'eut pas besoin de recourir à son dictionnaire pour comprendre.

— Ce n'est pas possible, murmura-t-il.

Il fit signe à l'homme d'essayer encore une fois, ce que ce dernier fit, de bon gré. Finalement, il haussa les épaules en signe d'impuissance.

L'argent que Lúcio avait sur lui suffit tout juste pour payer l'essence. Il retourna à l'hôtel, morose, inquiet. Il avait déjà entendu parler de cartes démagnétisées, juste bonnes à jeter. Mais la sienne était neuve et n'avait pratiquement jamais servi. Maria la mystérieuse regardait un programme de variété. Elle lui décocha son plus beau sourire. Il décida de ne rien lui dire.

Comme les chambres, le bureau de madame Töfting ressemblait à un musée de la chasse. Derrière la propriétaire, un tableau de style néo-classique représentait Diane, carquois en bandoulière, arc en main, qui contemplait un cerf agonisant à ses pieds. Un habile jeu de lumière mettait en relief les yeux de l'animal, lesquels exprimaient la peur et la souffrance. Les cuivres d'un cor brillaient entre deux appliques allumées. Au-dessus d'une cheminée noircie par le feu, une tête de sanglier accumulait des couches de poussière. Toute une panoplie d'armes blanches anciennes, dagues, épées, sabres, formaient une espèce de roue centrée sur une vieille arquebuse.

Lúcio déploya ses maigres connaissances linguistiques pour prouver à madame Töfting combien ils avaient apprécié leur séjour chez elle. Le visage de la bonne femme demeura fermé, autant aux compliments qu'aux efforts qu'il en coûtait au Brésilien. Elle passa la carte de crédit dans le lecteur, enfonça quelques touches du clavier et attendit. La petite imprimante cliqueta et laissa poindre le début de la bande de papier. De l'eau passa en glougloutant dans une canalisation. Le vent heurtait la maison en sifflant. Le temps s'arrêtait. La machine resta silencieuse. La femme repassa la carte. Pianotage rapide sur le petit clavier alphanumérique. Cliquetis de l'imprimante. Attente. Quelqu'un referma une porte à l'étage. Le vent soufflait de plus en plus fort. Rien ne se produisit.

Un silence gêné s'établit. Le sanglier, au mur, semblait sourire de toutes ses défenses. Les sourcils de madame Töfting formaient un V interrogateur. Elle repassa la carte une troisième fois et la rendit finalement à Lúcio en maugréant quelques mots.

En gestes précis, elle lui en demanda une autre. Lúcio se tourna vers Maria.

— Notre carte ne marche plus depuis hier. Je n'arrive pas à comprendre ce qui se passe. Notre sympathique hôtesse en réclame une autre. Qu'est-ce qu'on fait?

Maria soupira.

— C'était trop beau pour durer.

Elle saisit la carte fautive et la retourna entre ses doigts.

— Tu sais bien qu'on n'en a pas d'autre. Il faut que cette saleté fonctionne. Si on a un problème de bande magnétique, la banque doit nous changer notre carte. C'est écrit en toutes lettres dans le contrat.

— Ça prendra au moins deux jours. Et on n'a pas assez de liquide pour payer comptant.

— Ça recommence, constata-t-elle aigrement. Je sentais que quelque chose allait nous tomber dessus. Deux jours sans emmerdes, c'était trop beau! Et tu me demandes quoi faire?

— Au cas où tu aurais une idée.

Madame Töfting les regardait tour à tour.

— J'en ai trois. Simple! Primo, on se démerde pour payer madame *Teufteuf* qui nous regarde déjà d'une drôle de façon. Deuzio, on remet la voiture à l'agence de location. Tertio, on prend le premier vol en partance pour le Brésil. Je te confesse que ces vacances me sortent déjà de... où tu sais. Je m'en voudrais d'être grossière avec toi, mais je sens que je vais me mettre à hurler tous les jurons que je connais.

Il passa sa langue sur ses lèvres gercées. Que pouvait-il lui répondre ?

Il retira le dictionnaire de sa poche et entreprit d'expliquer le problème à la propriétaire devenue méfiante. Ils n'avaient presque pas d'argent liquide. Ils ne possédaient que cette carte défectueuse, et il leur faudrait rester encore au moins deux jours avant que la banque ne la remplace. Le tout lui prit à peu près quarante minutes. Le visage dépourvu d'amabilité de la femme se renfrogna encore un peu plus. Ils lurent sur ses traits une indécision rageuse. Appeler la police et faire mettre en taule ces mauvais payeurs ? Ce qui ne lui ferait pas pour autant recevoir son argent. Elle leur montra deux doigts. Deux jours. Lúcio se confondit en remerciements.

CHAPITRE VII

Maria contemplait par la fenêtre les eaux glauques de la rivière, chapeautée par les silhouettes des maisons à moitié gommées par la pluie. Deux mouettes têtues s'obstinaient à survoler le quai désert.

— Deux jours. C'est plus qu'assez.

Lúcio tournait et retournait la carte de crédit entre ses doigts.

— Il suffit d'appeler le numéro qui est gravé dessus. C'est un numéro gratuit 1-800.

Il parlait comme s'il voulait se convaincre.

— Et si la bande magnétique n'a rien?

Maria ne s'était même pas retournée. Il tint la carte pendant de longues secondes, à bout de bras, et l'étudia comme on étudie un animal venimeux, avec respect et précaution.

— Comment, rien? Qu'est-ce que tu veux dire?

— Je ne sais pas, moi. Ce serait plutôt un problème avec la banque. Manque de fonds, par exemple.

Il saisit un petit carnet, l'ouvrit et s'assit près d'elle. La pluie redoublait d'intensité. Il n'y avait plus de ville. Il n'y avait plus de rivière. L'arche du pont s'enfonçait dans un néant qui engloutissait de temps en temps une voiture téméraire. Il ne restait qu'une opacité translucide, une vision d'aquarium aux eaux turbides, dépourvues de vie.

— Regarde, dit-il en lui tendant le carnet. Première entrée de la première colonne : le montant exact de ce que nous pouvons dépenser. L'argent de notre voyage. Toutes nos économies. O.K. ? On n'a pas droit à un sou de plus.

— O.K. !

Son doigt glissa sur la feuille.

— Deuxième colonne : date de chaque dépense. Troisième colonne : montant de chaque dépense. Quatrième colonne : l'état, au jour le jour de notre compte, c'est-à-dire nos économies, moins nos dépenses.

— J'avais compris.

Il ignora l'ironie.

— Comme tu peux le constater, au rythme actuel de nos dépenses, il nous reste assez d'argent pour un mois entier de vacances et nous retournons au Brésil dans une douzaine de jours. Je ne vois pas ce qui a pu foirer, en dehors d'un problème avec la bande magnétique.

— Tu as sans doute raison.

— Comment, j'ai « sans doute » raison ? Non seulement j'ai raison, mais en plus, la banque devra nous rembourser les deux jours supplémentaires que nous allons passer ici. Tu vas voir. Enfile ton manteau. Nous allons en ville. Nous avons quelques coups de téléphone à donner.

Le vent soufflait trop fort pour téléphoner de la rue. La pluie ne tombait pas, elle tournoyait en tous sens. Le centre commercial leur parut l'endroit idéal. Ils trouvèrent une série d'appareils téléphoniques, à côté des toilettes. Lúcio déchiffra péniblement le message qui courait inlassablement sur l'écran étroit de cristal liquide. Il referma son dictionnaire.

— Très drôle, constata-t-il.

— Quoi? fit Maria.

— L'appareil nous demande de décrocher et de le nourrir avec de la monnaie ou avec une carte.

— Tu trouves encore le temps de faire de l'esprit? T'es vraiment gonflé à bloc, toi.

— Ne me regarde pas avec ces yeux de chien battu. On est en vacances, même s'il pleut et même si on n'a plus un rond en poche. Je vais résoudre notre problème en un clin d'œil.

Elle se garda bien d'émettre une quelconque opinion.

Il composa le numéro et attendit. Il s'aperçut trop tard qu'il avait entendu une phrase énoncée en portugais. Le message se déroula jusqu'à la fin et fut suivi par une musique synthétique qui blessa son oreille. Une voix de femme posa une question qui fut répétée trois fois. L'appareil se tut, puis émit un son strident pour lui rappeler de poser le combiné sur son support.

— Je n'ai rien compris à ce foutu message. J'ai pourtant eu l'impression d'entendre du portugais.

Elle fouilla dans sa mémoire.

— Appelle de nouveau. Je me souviens d'une phrase en portugais qui te demande de faire un numéro pour obtenir un interprète.

La phrase lui demanda très clairement de faire le 6. Ce qu'il fit. Le nouveau message s'adressa à lui, dans sa propre langue. Il respira à fond plusieurs fois et se mit à transpirer de soulagement.

▶ Si vous désirez communiquer la perte ou le vol d'une carte, faites le 1.

▶ Si vous désirez vous inscrire au nouveau programme *Regard sur le monde*, faites le 2. Ce programme est accessible aux non-membres. Consultez notre site Internet pour obtenir le règlement complet.

▶ Si vous désirez une avance de fonds, faites le 3.

▶ Si vous désirez remplacer une carte défectueuse, faites le 4.

▶ Si vous désirez déposer une plainte relativement à un refus de notre carte de la part d'un établissement affilié, faites le 5.

▶ Si vous désirez parler à un de nos préposés, faites le 6.

▶ Si vous souhaitez entendre encore une fois ce message, faites le 0.

▶ Nous sommes fiers de vous compter parmi nos clients et nous espérons que vous serez satisfaits de nos services.

Lúcio se gratta le front.

— Alors?

Maria le regardait, anxieuse.

— Je n'ai pas eu le temps de tout comprendre. Cette saloperie d'enregistrement passe trop vite.

Il enfonça le o et écouta attentivement la répétition du message.

— Nous avons trois options, lui expliqua-t-il. Le 3 pour une avance de fonds, le 4 pour obtenir une nouvelle carte ou le 6 pour parler directement avec un être vivant.

Il sortit une pièce de monnaie de sa poche.

— Pile, on demande le remplacement de la carte. Face, on cause au bonhomme.

— Pile! Le 4

▶ Veuillez entrer les seize chiffres de votre carte de crédit.

Où se cachait cette merde de carte? Il vida ses poches et déposa tout ce qu'elles contenaient entre les mains d'une Maria navrée et impuissante. Elle murmura quelque chose qui se perdit dans le bruissement continu du centre commercial.

— Quoi? fit-il, énervé. Cesse de ronchonner et aide-moi à retrouver ce bout de plastique. Je l'avais en main, il y a cinq minutes. Tu es certaine que tu ne l'as pas gardée?

Il raccrocha le combiné. Rien dans ses poches. Rien dans celles de sa femme, ni dans son sac à main. Lúcio suait maintenant de tous ses pores et répétait «putain de putain», sans arrêt. Maria, au bord des larmes, ne savait plus quoi faire.

— Merde ! Quelle chaleur !

— Enlève ton manteau, suggéra-t-elle d'une voix douce. Et calme-toi. Une carte ne disparaît pas comme ça.

— On a dû nous la voler.

— C'est ridicule, voyons. Depuis que nous sommes pendus à ce téléphone, personne ne s'est approché de nous. Nous allons la retrouver.

Ils la retrouvèrent sur le dessus de l'appareil, là où il l'avait posée. Sur l'écran, le message déroulait ses lettres vertes qui avaient perdu leur mystère : « Veuillez décrocher, s'il vous plaît. Veuillez décrocher, s'il vous plaît. Veuillez... »

— J'ai besoin de m'asseoir quelque part et de boire un café, dit-il d'une voix mal assurée.

À cette heure, les gens n'abondaient pas encore dans le centre commercial. À peine une dizaine de magasins avaient déjà ouvert leurs portes, ainsi qu'un *fast-food*. Assise près de la caisse, une femme élégamment habillée remuait distraitement une cuillère dans une tasse et parcourait les titres d'un journal. Surplombés par un gigantesque hamburger lumineux, un groupe d'adolescents riaient aux éclats et mordaient à pleines dents d'énormes sandwichs. Un jeune homme nettoyait la vitrine d'une boutique de mode en prenant soin de ne pas déplacer les mannequins figés en positions impossibles. Deux dames âgées, les cheveux bien peignés, vêtues avec soin, arpentaient lentement le couloir en échangeant tout bas des secrets qui plissaient d'amusement leurs visages ridés.

— Il te reste combien? demanda Lúcio en posant son gobelet sur la table.

Elle compta d'abord les billets, puis les pièces. La caissière les observait du coin de l'œil. L'unique serveuse attendait d'autres clients en regardant un poste de télévision accroché à une colonne. Lúcio somma Maria de lui dire combien il leur restait.

— Sans trop faire de folies, et en coupant sur le champagne, on arrivera à manger plusieurs jours avec ça. Faudra aussi se passer du foie gras et du caviar, évidemment.

Il se pinça la lèvre inférieure.

— Mais ce n'est pas suffisant pour régler l'hôtel, surtout avec deux jours supplémentaires. Heureusement que le petit-déjeuner est inclus.

Maria passait ses ongles sur le damier vert et rouge de la nappe. La lumière artificielle donnait à son visage un teint pâle, presque maladif. Ses yeux rougis contemplaient, fascinés, les mouvements de ses propres doigts. Elle semblait tout à coup dépassée par cette succession d'événements, perdue dans un monde qui l'ignorait, ballottée au hasard des tribulations sur lesquelles elle n'avait aucun pouvoir, ni aucune prise. Elle n'arrivait même plus à penser clairement.

— De toute façon, ça n'a aucune importance. Demain, au plus tard, nous recevrons une nouvelle carte.

Elle se contenta de soupirer et termina son café froid. De plus en plus de magasins ouvraient leurs portes. La foule grossissait rapidement. Des mères promenaient leurs enfants. Sans devenir désagréable, le bruit augmentait progressivement.

— Tu n'as pas faim? demanda-t-il. Commande un sandwich pendant que je retourne à mes répondeurs. Je te jure qu'en rentrant à la maison, je me mets à l'anglais ou au français pour notre prochain voyage!

Elle ne tourna même pas la tête pour répondre.

— Il n'y aura pas de prochain voyage. Du moins pas à l'étranger! Jusqu'à présent, nous n'avons fait que gaspiller de l'argent, rien que pour nous emmerder avec des gens qui nous méprisent. La plupart du temps, nous sommes restés dans des chambres d'hôtel parce qu'il faisait trop froid pour mettre le nez dehors. J'aime encore mieux mon jardin. Je peux y prendre des bains de soleil quand je veux. D'un autre côté, on roule dans des bleds perdus, ensevelis sous la neige, quand on a huit mille kilomètres de plage chez nous, avec des cocotiers et du sable fin. Nous perdons notre temps et nos vacances, dans ce foutu pays.

Il balaya maladroitement l'air d'un bras.

— Ce n'est pas du tout la même chose. Nous visitons le monde de la civilisation, des musées, des théâtres, des... je ne sais pas, moi. Toutes les nouvelles découvertes viennent d'ici. Les nouveaux médicaments... les nouvelles tendances de la mode.

Elle l'interrompit, toujours sans le regarder.

— Les bombes atomiques, la guerre chimique.

— Ça n'a rien à voir.

Le visage de Maria reflétait sa colère.

— J'ai l'impression de discuter avec un musulman qui doit se rendre au moins une fois dans sa vie à La Mecque. C'est de la religion, ton monde industrialisé ou quoi ? Faut qu'on s'agenouille quelque part et qu'on prie ? Si les nouveautés sont fabriquées ici, eh bien, j'attendrai volontiers à la maison que quelqu'un daigne me les importer. À São Paulo, je n'ai jamais été interpellée par aucun policier. Au Brésil, mon mari n'a jamais dû me défendre contre une bande de gorilles lubriques qui, vu le manque de femmes, doivent organiser des concours de masturbation en hiver, pour passer le temps. C'est ça, ton premier monde ? Tu sais ce que je lui dis à ton premier monde ?

Elle s'arrêta, essoufflée. La caissière, la serveuse et les rares consommateurs la dévisageaient sans la comprendre, curieux de l'entendre parler une langue qui ne leur disait rien.

— Parle plus bas, chuchota-t-il.

— Pourquoi ? Ça te gêne qu'on nous regarde ? Ça te gêne que ces gens nous prennent pour ce que nous sommes : des pouilleux du tiers-monde, perdus sans un rond dans cet antre de civilisation ? Ça te gêne d'entendre ta propre langue ? Rien ne t'empêche d'en parler une autre.

— Bon ! J'ai compris. Pendant que tu te calmes, je m'en vais couper le mal par la racine. Le temps de passer un coup de fil.

— Bonne chance !

◼◼◼

La voix désincarnée et polyglotte récita derechef les options. Il enfonça le 6. Nouveau menu, en portugais cette fois. Il enfonça le 4.

▶ Veuillez entrer les seize chiffres de votre carte de crédit.

Il pianota les seize chiffres.

▶ Merci de nous avoir appelés. Nous sommes fiers de vous compter parmi nos clients et nous espérons que vous serez satisfaits de nos services. Veuillez patienter...

Il patienta. Comme Maria regardait dans sa direction, il lui montra, en souriant, son pouce dressé vers le plafond.

▶ Le numéro de votre carte n'est pas valide. Veuillez patienter en attendant que l'un de nos préposés se libère.

Une musique de jazz remplit son oreille et fut aussitôt interrompue...

▶ Nous vous remercions de patienter. Demeurez en ligne afin de conserver votre priorité d'appel...

— Écoutez, dit-il machinalement, avant de se

rendre compte qu'il dialoguait avec le répondeur automatique.

La musique reprit de plus belle...

▶ Votre carte vous propose, le mois prochain, d'acheter une voiture neuve. Notre financement *New Drive* vous offrira les taux d'intérêt les plus favorables du marché. Vous trouverez tous les détails de cette offre sur notre site Internet.

▶ Nous vous remercions de patienter...

Il détestait le jazz et éprouvait une furieuse envie d'arracher l'appareil du mur. La voix était maintenant masculine. Il poussa un silencieux soupir de soulagement. On ne lui posa aucune question pour autant.

▶ Vous êtes notre client V.I.P. Des salles spéciales vous attendent dans les principaux aéroports du monde. En outre, l'achat d'un billet de première classe avec notre carte *Or* vous donne droit à un service de limousine de l'aéroport, au centre-ville et du centre-ville à l'aéroport et ce, dans les principales villes nord-américaines.

▶ Nous vous remercions de patienter...

Musique! Son cœur cognait contre ses tempes. Même sans son manteau, il s'était remis à suer. Une légère envie de vomir soulevait son estomac. Ses doigts fourmillaient. Une douleur ténue envahissait son oreille droite trop longtemps comprimée contre l'appareil. Il raccrocha en soufflant un «merde» que la caissière fut la seule à enregistrer.

— Notre carte a un numéro non valide, expliqua-t-il en se laissant tomber sur une chaise. J'ai poireauté quinze minutes pour entendre de la mauvaise musique et de la pub. Il faut que je me calme, sinon je vais finir par casser quelque chose.

Elle posa ses mains sur les siennes.

— Pardonne-moi ce que je t'ai dit. Oublie ça. J'avais... j'avais ça coincé dans la gorge. Maintenant, c'est fini. Dis-moi ce que je peux faire pour t'aider.

La chaleur de sa peau l'apaisa un peu. Il respira à fond.

— Numéro invalide! Numéro invalide! Ils sont complètement fous. Cette carte a parfaitement bien marché jusqu'à présent et puis, d'un coup, elle devient non valide. «Transaction refusée», et maintenant «numéro invalide»!

— Tu es sûr de ne pas t'être trompé en le tapant?

Il se gratta le cuir chevelu.

— C'est possible. Je vais recommencer.

Premier message. Il n'en attendit pas la fin pour appuyer sur le 6. Deuxième message. Il enfonça immédiatement le 4.

▶ Veuillez entrer les seize chiffres de votre carte de crédit.

Il le fit soigneusement en vérifiant chaque fois si la touche correspondait bien au chiffre désiré.

▶ Nous sommes fiers de vous compter parmi nos clients et nous espérons que vous serez satisfaits de nos services. Veuillez patienter…

Il n'eut droit qu'à quelques minutes de musique. Une nouvelle voix lui dit sèchement :

▶ Cette carte a été bloquée pour des raisons administratives. Veuillez prendre contact avec la banque émettrice. Merci de nous avoir appelés.

Impatient, l'appareil émit une sonnerie aiguë pour l'inviter à remettre le combiné sur son support.

— Bloqué pour des raisons administratives ! Tu te rends compte ? Notre carte est bloquée pour des raisons administratives.

Lúcio tenait la carte à bout de bras comme s'il s'agissait d'un crotale prêt à attaquer.

— Tu sais ce que ça veut dire ce machin ?

Maria haussa les épaules.

— La carte ?

— Tu te fous de moi ? Tu choisis mal ton moment.

— Ben, tu me montres la carte et tu me demandes si je sais ce que ça veut dire ? Tu veux que je te réponde quoi ?

— Je parlais des raisons administratives.

— Je ne pouvais pas deviner. De toute façon, j'en sais autant que toi. Est-ce que tu ne pourrais pas parler avec une personne en chair et en os au lieu d'attendre qu'un répondeur te renseigne ?

Il lui semblait déjà comprendre la totalité du premier message. Il refit le 6.

▶ Si vous...

▶ Si vous désirez parler directement avec un de nos préposés, faites le 6.

Il enfonça encore une fois le 6.

▶ Merci de nous avoir appelés. Nous sommes fiers de vous compter parmi nos clients et nous espérons que vous serez satisfaits de nos services. Veuillez patienter. Un de nos préposés vous répondra dans quelques instants...

Musique...

▶ Votre carte est acceptée dans plus de deux millions d'établissements, dont les hôtels de la prestigieuse chaîne Molton. En y réservant une chambre avec votre carte, vous aurez droit à un accueil personnalisé et à un hébergement de catégorie supérieure.

▶ Nous vous remercions de patienter...

Musique...

▶ Merci de nous avoir appelés. Nous sommes fiers de vous compter parmi nos clients et nous espérons que vous serez satisfaits de nos services. Veuillez patienter. Un de nos préposés vous répondra dans quelques instants...

Musique...

▶ Chaque fois que vous utilisez votre carte pour faire un achat, vous accumulez des points qui vous donneront le droit de voyager gratuitement sur les lignes aériennes desservies par *Gallaxy Alliance*. Les règlements et les conditions de cette promotion figurent sur notre site Internet.

▶ Nous vous remercions de patienter...

Musique...

▶ Merci de nous avoir appelés. Nous sommes fiers de vous compter parmi nos clients et nous espérons que vous serez satisfaits de nos services. Veuillez patienter. Un de nos préposés vous répondra dans quelques instants...

Musique...

Il consulta sa montre. Onze heures. Le martyre se prolongeait déjà depuis deux heures. Une sensation de pression nouait son ventre. Sa vessie était sur le point d'exploser. Il serra une cuisse contre l'autre et pencha son corps en avant. L'envie d'uriner reflua.

Tous les magasins étaient maintenant ouverts. Les *fast-foods* préparaient déjà le dîner. Les odeurs d'huile chauffée et d'épices se mélangeaient à un léger parfum de lavande. Un groupe d'écoliers défila, cheveux gominés et dressés en tous sens, bulle de bruit qui décrut dans l'escalier roulant, et s'éteignit. Des haut-parleurs invisibles diffusaient une musique de fond interrompue par des annonces de promotions. Un clown, perruque verte, nez rouge, yeux tristes, veste dorée, se dirigea droit vers Lúcio, lui remit un dépliant qui l'invitait à acheter des jouets dans un magasin qui destinait une partie de ses gains à un hôpital pour enfants cancéreux. Puis, toutes les lumières se fondirent en un carrousel flou et lent. Tous les bruits s'amalgamèrent en un ronflement continu modulé par le combiné collé à son oreille droite. Plus rien n'existait, à part cette musique omniprésente.

Elle semblait ne plus vouloir s'arrêter. Jamais.

▶ Pour tout achat de billets d'avion avec votre carte de crédit internationale, vous avez droit à une assurance-bagage, une assurance-voiture, une assurance-maladie dont les...

— *Good morning. My name is Carl Benson. What can I do for you?*

— Merde, pensa Lúcio. Qu'est-ce que j'ai fait pour que cette foutue machine me parle de nouveau en anglais?

Il s'attendait à l'habituel «Nous vous remercions de patienter.» Au lieu de cela, la voix répéta:

— *Good morning. My name is Carl Benson. What can I do for you?*

Quelqu'un lui parlait... en anglais. Mais on lui parlait quand même. Un grand progrès par rapport au répondeur.

— Je... je ne comprends pas, bégaya-t-il. Parlez-vous portugais?

À l'autre bout du fil, on semblait hésiter.

— *Hold on, please, Sir.*

La musique heurta encore une fois son tympan, mais pas pour longtemps. La jeune fille parlait un portugais parfait, avec toutefois un accent qu'il n'arrivait pas à définir.

— Bonjour. Luisa Costa. Que puis-je faire pour vous, Monsieur?

Il sentit les muscles de son dos et de ses jambes se détendre, mais il n'avait aucun moyen de s'asseoir sans lâcher le téléphone. Tout le centre commercial sembla osciller devant ses yeux. L'envie d'uriner revint brusquement et la sueur se mit de nouveau à dégouliner sur son front et sur ses tempes. Il attendit que son vertige disparaisse avant de parler.

— Eh bien, voilà. Je suis un client brésilien. Je suis en vacances. J'ai dû payer comptant hier parce que ma carte a été refusée. J'ai pourtant assez d'argent en banque. Je ne comprends pas ce qui arrive. Je n'ai pas réussi à payer l'hôtel ce matin parce que ma carte ne fonctionne plus. J'ai pourtant laissé des fonds suffisants à São Paulo pour éviter ce genre d'histoire. Je suis certain de ne pas avoir atteint ma limite de crédit. Je ne sais pas quoi faire. Pouvez-vous m'aider?

Il s'arrêta, à bout de souffle, conscient d'avoir débité un discours quasi incohérent.

— Excusez-moi, ajouta-t-il. Je suis un peu nerveux.

Son interlocutrice ne semblait guère impressionnée. Elle résuma son discours en quelques mots.

— Si j'ai bien compris, votre carte refuse de fonctionner.

— C'est ça. La seule information que j'ai obtenue est qu'elle a été bloquée pour des raisons administratives. Il s'agit certainement d'une erreur. Avant de partir, j'ai réservé une somme d'argent suffisante pour n'importe quel imprévu. Pouvez-vous faire débloquer ma carte?

— Personnellement, non, Monsieur. Je m'excuse.

La voix traduisait autant de sympathie qu'un documentaire sur le sort des condamnés dans les prisons brésiliennes.

— Je ne suis malheureusement qu'une interprète. Je communique votre plainte au préposé. Ne quittez pas la ligne, s'il vous plaît.

Musique.

Il réussit à s'abstraire de l'horreur synthétique diffusée par l'appareil. Dans quelques minutes, le problème serait résolu, une fois pour toutes. Il observait Maria qui se promenait maintenant et regardait les vitrines. La deuxième partie de leur voyage compenserait largement les désagréments de la première.

— Monsieur?

— Oui! Je vous écoute.

— Je viens de recevoir la réponse à votre demande.

— Parfait.

Sans le combiné, il se serait frotté les mains.

— Votre carte a été bloquée par votre institution bancaire.

Le reste de leur voyage disparaissait à toute vitesse. Le cauchemar persistait à les enfoncer dans des limbes où ils ne pouvaient se mouvoir ni en avant, ni en arrière.

— Mais, pourquoi?

— Je n'ai pas cette information, Monsieur.

Existait-il une différence entre cette femme et le répondeur? Les mêmes phrases toutes prêtes. Le même manque de sensibilité, d'humanité. Les mêmes silences calculés pour lui laisser le temps de digérer les informations.

— Pouvez-vous l'obtenir?

— Je vais faire tout mon possible, Monsieur. Ne quittez pas la ligne, s'il vous plaît.

Musique.

Elle retrouvait son caractère irritant, angoissant, porteur d'incertitude. Le temps passait lentement, visqueux, réduit à ce bruit répétitif.

▶ Nous sommes fiers de vous compter parmi nos clients et nous espérons que vous serez satisfaits de nos services. Veuillez patienter...

Son oreille droite prenait feu. Il passa l'appareil à gauche. Si seulement cette musique pouvait s'arrêter. Il aurait préféré entendre la respiration d'un être humain ou des rumeurs de fond qu'il aurait tenté d'analyser. Mais ce bruit continu, ces sons gérés par un ordinateur le rendaient fou.

— Monsieur?

— Oui.

— Nous n'avons pu réunir les éléments nécessaires pour vous fournir une explication. Par contre, nous pouvons vous mettre en contact avec notre filiale brésilienne. Elle saura certainement vous expliquer ce qui se passe et résoudre votre problème.

— D'accord.

À quoi est-ce que ça servait de discuter avec cette femme?

— Je prends le numéro en note.

— Nous allons établir la communication pour vous, Monsieur. Avez-vous besoin d'autre chose?

— Non. Merci.

— Nous sommes fiers de vous compter parmi nos clients, Monsieur. Ne quittez pas la ligne. Au revoir, Monsieur.

⚏

Il entendit un grésillement bref, une sonnerie et un déclic. Une voix féminine, avec l'accent chuintant de Rio de Janeiro, confirma qu'il n'était pas au bout de ses peines. Même chez lui.

▶ Si vous êtes détenteur de notre carte, faites le 1.
▶ Si vous n'êtes pas associé, et si vous désirez acheter un de nos produits, faites le 2.
▶ Pour communiquer la perte ou le vol d'une carte, faites le 3.
▶ *For English, press 4.*
▶ Pour entendre de nouveau les options du menu principal, faites le 0.

À sa gauche, en face du *fast-food*, devant un grand magasin de jouets, le clown faisait des pitreries qui n'intéressaient guère la génération *Game*

Boy, beaucoup plus branchée sur les performances du dernier modèle Nintendo que sur la vitesse d'un train électrique ou sur la garde-robe de Barbie.

Lúcio appuya sur 1.

▶ Merci de nous avoir appelés. Veuillez entrer les seize chiffres de votre carte de crédit.

Il s'exécuta. La réponse vint, telle qu'il s'y attendait.

▶ Pour remplacer une carte défectueuse, faites le 1.

▶ Pour connaître le solde de votre compte, faites le 2.

▶ Pour connaître le solde de vos points-cadeaux, faites le 3.

▶ Pour échanger vos points contre nos cadeaux, faites le 4.

▶ Pour connaître la liste de nos cadeaux, consultez notre site Internet ou faites le 5.

▶ Pour participez à notre promotion *Fly'n Drive*, dont les règlements sont disponibles sur notre site Internet, faites le 6.

▶ Pour obtenir une carte junior pour vos enfants, faites le 7.

▶ Pour parler directement à l'un de nos préposés, faites le 8.

▶ Pour entendre de nouveau ce message, faites le 0.

Le message terminé, il était tellement irrité qu'il ne se souvenait plus de rien. Parler avec un préposé : 7 ou 8 ? Il appuya sur le 8.

▶ Merci de nous avoir appelés. Nous sommes fiers de vous compter parmi nos clients et nous espérons que vous serez satisfaits de nos services. Veuillez patienter, toutes nos lignes sont présentement occupées. Un de nos préposés vous répondra dans quelques instants. Veuillez patienter...

Le jazz synthétique sans style avait cédé la place à une samba lente, sans âme, ni rythme.

▶ Profitez de notre offre *Late chek-out*. Si vous payez une chambre d'hôtel de la chaîne Wyatt avec votre carte, votre heure de départ pourrait être six heures de l'après-midi! Veuillez patienter...

Samba...

▶ Nous sommes fiers de vous compter parmi nos clients et nous espérons que vous serez satisfaits de nos services. Veuillez patienter...

Samba...

▶ Chaque fois que vous dépensez cent réals avec votre carte de crédit, nous versons deux réals à la campagne de financement *Tous contre le cancer du sein*. Veuillez patienter...

Lúcio s'étonna d'apprendre que le monde entier s'unissait, par le biais des cartes de crédit et des magasins de jouets, pour lutter contre le cancer.

Samba...

La douleur à sa vessie devenait intolérable. Il compta jusqu'à dix. Comme le téléphone continuait à débiter des bêtises, il raccrocha et s'élança vers la porte des toilettes.

— Je vais devenir dingue, s'exclama-t-il, rouge de colère. Je viens de passer toute la matinée à écouter de la mauvaise musique, puis à m'entendre dire qu'on ne peut rien faire à propos de notre carte. Chaque répondeur me renvoie à un autre ou à une espèce d'ectoplasme dont les explications ne valent guère mieux. Il faudra, sans doute, que je m'adresse à Dieu le Père.

La serveuse louvoya entre les tables et s'arrêta à côté d'eux. Sans lui laisser le temps de prononcer un mot, il plaça un billet sur une soucoupe. Elle lui rendit quelques pièces et entreprit de nettoyer la table avant qu'ils ne s'en aillent. Les mouvements de ses bras faisaient balancer ses gros seins.

— Je reconnais bien là l'éducation raffinée de ton premier monde, dit Maria. C'est tout juste si cette bonne femme ne nous a pas passé son torchon sur la gueule.

Elle le retint par le bras.

— Je n'ai pas dit ça pour que tu ailles lui flanquer la main sur sa sale tronche. Viens ! On change de bistrot. On nous connaît déjà un peu trop dans le coin.

Ils découvrirent plusieurs téléphones à l'étage, mais aucun endroit pour s'asseoir. Deux cinémas jumeaux proposaient un vieux film de Denis Hooper et une nouvelle version de *Pearl Harbor*. Maria consulta les horaires.

— Si tu es d'accord, de deux à cinq, on s'offre une bataille dans le Pacifique. La guerre nous reposera un peu de nos aventures. Il te reste donc un peu plus d'une heure pour nous remettre à flot, sans vouloir faire de jeux de mots.

Lúcio décrocha le combiné et composa le numéro 1-800. Sans attendre le début du message, il enfonça le 6.

Cette fois, l'engin débita un message complètement différent de celui auquel il s'attendait.

Il serra, incrédule, le combiné entre ses doigts.

— Qu'est-ce qui se passe cette fois? demanda Maria.

— Je ne sais pas. Je viens de recevoir un message en anglais, différent des autres. Puis, plus rien.

L'appareil se manifesta par un bruit strident pour qu'il le remette sur son support.

— Recommence!

Il mit sa main sur le combiné, comme si quelqu'un pouvait l'entendre.

— Ça marche, dit-il, en enfonçant le 6.

► Si vous désirez communiquer la perte ou le vol...

Il appuya encore une fois sur le 6.

► Nous sommes fiers de vous compter parmi nos clients et nous espérons que vous serez satisfaits de nos services. Veuillez patienter. Un de nos préposés prendra votre appel dans quelques instants...

Musique...

La brièveté de l'attente le surprit.

— *Good morning. My name is Lucy Desforges. What can I do for you?*

Celle-là, il s'y attendait, un peu surpris, toutefois, de ne pas avoir affaire à la même personne.

— Portugais, s'il vous plaît.

— *Hold on, please, Sir.*

La réponse fut quasi instantanée.

— Bonjour. Je m'appelle Andréas Cardoso. Que puis-je faire pour vous?

Sa réponse était prête.

— Me mettre en contact avec votre filiale brésilienne, s'il vous plaît.

— Certainement, Monsieur. Je peux d'ailleurs vous fournir un numéro gratuit qui vous permettra de communiquer directement avec elle, sans passer par nos services. Je vous le dicte.

— Un instant, voulez-vous?

Il fit des signes désespérés à Maria, laquelle était plongée dans la contemplation de la vitrine d'un magasin de chaussures.

— Encore un petit moment, Monsieur.

— Je vous en prie, Monsieur.

Maria finit par regarder dans sa direction.

— Du papier et un stylo. Vite!

Elle lui présenta son dos comme appui.

— Vous pouvez y aller.

Il nota le numéro en lui faisant répéter chaque chiffre.

— Je vous passe le Brésil. Merci de nous avoir appelés. Au revoir, Monsieur.

L'accent de Rio ne tarda pas à se faire entendre.

▶ Si vous êtes un client…

Il enfonça le 1.

Inlassablement, le message débitait ses options.

▶ Pour changer une carte défectueuse, faites le 1.
▶ Informations sur…
▶ …
▶ Pour parler à un de nos préposés, faites le 8.

Il appuya sur la touche, le cœur battant.

▶ Merci de nous avoir appelés. Nous sommes fiers de vous compter parmi nos clients et nous espérons que vous serez satisfaits de nos services. Pour le moment, toutes nos lignes sont occupées. Un de nos préposés vous répondra dans quelques instants. Veuillez patienter…

Samba lente. Une musique presque savante…

▶ Chaque fois que vous dépensez cent réals avec votre carte de crédit, nous versons deux réals à la campagne de financement *Tous contre le cancer du sein*. Veuillez patienter...

Samba lente. La musique le remplissait maintenant de mélancolie...

▶ Visitez São Paulo, le cœur vibrant et dynamique du Brésil. Les principaux centres commerciaux de la ville vous offrent un rabais dc dix pour cent sur présentation de votre carte de crédit. Veuillez patienter...

Samba lente...

Qu'est-ce qu'il foutait dans cette galère? Il avait voulu impressionner sa femme? Eh bien, connard, c'est gagné! Il l'impressionnait tellement que chaque jour qui passait, il la sentait un peu plus distante, un peu plus étrange. La transformation était subtile, mais néanmoins bien réelle.

▶ Payez comptant votre prochain voyage avec votre carte. La facture vous sera débitée en dix versements égaux! Veuillez patienter...

Samba lente...

— Quelle heure est-il?
— Une heure.
Le centre commercial grouillait maintenant de monde. Le bruit des conversations étouffait la musique des haut-parleurs. Des employés de bureau

dégourdissaient leurs jambes à l'abri du froid et se restauraient à leur *fast-food* favori. Des acheteurs sortaient des magasins, chargés de paquets. Un gamin hurlait, entraîné sans ménagement par une mère furieuse. Le clown, débarrassé de sa perruque verte, buvait une bière à même la bouteille.

— Bonjour. Je m'appelle Isabela Munhoz. Que puis-je faire pour vous, monsieur... heu... Ribeiro ?

— Vous connaissez mon nom ? demanda-t-il, bêtement.

— Grâce au numéro de votre carte.

— Mmm.

— Que puis-je faire pour vous, monsieur Ribeiro ?

Elle aurait sans doute mis plus d'âme dans sa question en demandant des nouvelles du chien du voisin.

— Je suis à l'étranger et ma carte ne fonctionne plus depuis hier. Je ne comprends pas pourquoi. Jusqu'à présent, personne n'a été capable de me fournir une explication satisfaisante.

Il entendit nettement le heurt des doigts sur un clavier lointain.

— J'ai besoin de vous poser quelques questions pour m'assurer qu'il s'agit bien de vous, monsieur Ribeiro.

— Mais, enfin...

— Quelle est votre date de naissance ?

Il était tellement éberlué que sa mémoire refusa de lui fournir l'information.

— Ma date de naissance... heu...

Il se traitait de con, mais rien n'émergeait des brumes de son cerveau. Il avait oublié sa date de naissance. Il avait oublié qui il était. Il avait oublié ce qu'il faisait à cet endroit. Il avait oublié où il habitait. Il avait tout oublié !

— 17 juin 1973, lui souffla Maria.

— 17 juin 1973, ânonna-t-il.

— Dans quelle ville habitez-vous ?

— São Paulo. Brésil.

— Code postal ?

— 01124-070.

— Votre numéro de téléphone avec l'indicatif régional, s'il vous plaît ?

— 11.32.91.38.64.

— En quoi puis-je vous être utile, monsieur Ribeiro ?

Ce langage préfabriqué l'agaçait. Les « que puis-je » et les « veuillez » lui tapaient sur les nerfs. Il se contint pour ne pas crier, mais il se remit à transpirer. Insulter cette salope de salope ne servirait à rien. La sueur coulait sur sa nuque et le chatouillait entre les omoplates.

— Je viens de vous le dire. Je me trouve à l'étranger et ma carte est refusée depuis hier. Je suis sans argent, j'ai des paiements à honorer, et j'aimerais que quelqu'un me dise quoi faire.

— Un moment, s'il vous plaît.

Bruit de clavier.

— Monsieur Ribeiro, votre carte a été bloquée pour des raisons administratives.

— Dites-moi quelque chose que je ne sais pas encore, Mademoiselle. Comme, par exemple, la signification de ces deux mots : raisons administratives.

— L'ordre vient directement de votre banque, Monsieur. L'administrateur de votre carte ne fait qu'entériner cet ordre.

— C'est tout ? Si je vous comprends bien, vous ne faites que m'apprendre que l'ordre de faire bloquer ma carte vient de ma banque. C'est bien ça ?

— Oui, Monsieur.

— Je vous fais remarquer que vous non plus ne m'expliquez pas ce qu'est une raison administrative.

— Je n'en sais pas plus que vous, Monsieur.

— L'administrateur, que vous représentez, aurait-il l'obligeance de m'expliquer pourquoi cet ordre a été donné ?

— Je vais voir si notre système est capable de vous fournir des détails. Un instant, s'il vous plaît.

Il était décidé à la traiter de putain si elle lui donnait encore un « s'il vous plaît » ou si elle lui demandait d'attendre un autre « instant, s'il vous plaît ».

— Voilà, dit-elle. Une somme équivalente à six cents dollars est bloquée à votre nom.

— Qu'est-ce que ça signifie ?

— Avez-vous loué une voiture récemment, Monsieur ?

— Oui. Un modèle économique. Pour douze jours.

— L'agence a certainement pris l'empreinte de votre carte, n'est-ce pas ?

— Oui, mais...

— Écoutez, monsieur Ribeiro, l'agence de location a le droit de faire bloquer la valeur de la location, plus vingt pour cent, jusqu'au règlement final de la facture. Elle a même légalement le droit de retenir cet argent jusqu'à vingt jours après la remise du véhicule.

— L'agence aurait pu avoir l'amabilité de me faire part de ces détails.

— Avez-vous lu le contrat, Monsieur?

Il tiqua. Qui perd son temps à lire un contrat de location de voiture économique? Le groupe des gens intelligents dont il ne faisait visiblement pas partie.

— No... non. Je ne crois pas. Mais passons. Où est le reste?

— Le reste de quoi, Monsieur?

— De l'argent que j'ai déposé dans mon compte avant le voyage. Même avec la valeur de la location bloquée, il m'en reste assez pour terminer mes vacances en paix. Alors, expliquez-moi.

— Je regrette, Monsieur, mais pour ce faire, il faudrait que je consulte votre compte bancaire. Je n'y suis pas autorisée.

— Madame, je suis loin de chez moi, avec ma femme. Je m'exprime très mal dans la langue du pays. Ma carte est refusée pour des raisons administratives que personne ne semble capable d'expliquer. J'ai un hôtel à payer. J'ai de l'argent à la banque. Alors, quoi? Qu'est-ce que je dois faire?

— Je ne sais pas, Monsieur.

— Vous ne savez pas? Mais qu'est-ce que c'est que ce bordel? Je veux parler avec quelqu'un capable d'orienter un détenteur de cette saloperie de carte. J'exige de savoir ce que vous foutez avec mon fric, merde!

Il sentit la main de Maria se poser sur son bras. Il se retourna. Plusieurs personnes l'observaient à distance.

— Quoi?

— Tu es en train de crier. Calme-toi! Tu ne vas rien résoudre de cette façon.

Sa colère se dissipa.

— Excusez-moi, Mademoiselle. Vous comprenez que je me trouve dans une situation difficile. Recommandez-moi quelque chose. Qu'est-ce que je dois faire? À qui dois-je m'adresser?

— Pourquoi ne demandez-vous pas une avance de fonds? Sa valeur dépendra évidemment de la somme d'argent que vous utilisez normalement. Ça peut vous dépanner, du moins momentanément. En général, vous avez deux mois devant vous pour le remboursement.

— Comment faire?

— Vous devez nous rappeler et suivre les instructions. Puis-je vous être utile pour autre chose, Monsieur?

— Votre utilité est loin d'être démontrée, Mademoiselle.

Il raccrocha rageusement.

— Rien à faire. Je n'arrive pas à faire la distinction entre un répondeur et ces préposés. Ils débitent sans arrêt les mêmes boniments. Ils ne peuvent rien faire. Ils n'arrivent pas à expliquer. Ils ne veulent rien entendre. Ils ne veulent surtout pas courir le risque d'un surmenage.

Ils marchaient lentement dans un monde clos, où la température ne variait jamais. Des tubes phosphorescents les illuminaient. Aucun souffle de vent, dans ce monde peuplé de spectres au teint pâle, où l'air libre ne constituait qu'un souvenir lointain. Après l'homme des cavernes, l'homme des centres commerciaux.

— Et si tu téléphonais directement à la banque?

Ce n'était pas sa Maria qui parlait, mais une inconnue qui émettait une opinion à propos d'un problème qui ne l'intéressait pas.

— Eux t'expliqueront probablement ce que «raisons administratives» veut dire.

Ça ne tournait pas rond dans sa tête. Il se faisait des idées. Il devait se ressaisir. Voici qu'il comparait Maria avec ces femmes désincarnées qui le remplissaient de «veuillez», de «s'il vous plaît» et de «Monsieur».

— Bonne idée, reconnut-il. Avant, il faut que je mange quelque chose, sinon je vais tourner de l'œil.

— J'ai repéré un supermarché. On peut se faire des sandwichs et boire une bière. Je me charge de la prochaine communication.

Elle saisit le combiné comme si elle touchait un objet contaminé, impur, dangereux. Un bout de pain restait collé contre sa gencive, malgré les efforts de sa langue pour le déloger. La bière n'avait pas été fameuse et elle pesait lourdement sur son estomac.

Ils avaient déjeuné, assis sur un escalier, sous les regards désapprobateurs des passants, jusqu'à ce qu'une espèce de gorille en uniforme, armé d'une matraque, vienne les expulser. Ils avaient terminé leurs sandwichs debout, entre un chocolatier belge et un bijoutier spécialiste de l'ambre.

Elle consulta son carnet d'adresses, appela l'opérateur, composa le code, puis le numéro du destinataire.

▶ Nous vous remercions de votre appel.

▶ Si vous possédez un compte dans notre établissement, faites le 1.

▶ Si vous désirez ouvrir un compte dans notre établissement, faites le 2.

▶ Si vous désirez vous inscrire à notre programme *Cash-épargne*, faites le 3. Pour plus d'informations, consultez notre site Internet.

▶ En cas de perte ou de vol de votre carte bancaire faites le 4.

▶ Si vous désirez parler à un de nos préposés, composez le numéro de son poste de travail.

▶ Si vous désirez parler au gérant, composez 1000.

▶ Si vous désirez entendre encore une fois ce message, faites le 0.

Maria soupira.

— Parlons tout de suite avec Dieu, dit-elle avec un léger sourire désolé, devant l'air étonné de Lúcio.

— Encore un menu avec des tas d'options, expliqua-t-elle. On a au moins la possibilité de parler directement avec notre gérant.

Elle composa 1-0-0-0. Le sourire de Maria s'effaça de ses lèvres lorsqu'elle entendit :

▶ Nous vous remercions de votre appel. Nos bureaux sont ouverts tous les jours, du lundi au vendredi, de dix à quinze heures. Nous vous rappelons que vous pouvez laisser un message sur notre répondeur ou nous faire parvenir une télécopie. Prenez note du numéro de notre télécopieur : 11.31.92.10.50. Au revoir.

— Ces mecs ont un sacré culot.
Maria tremblait de colère.
— Raccrocher au nez de leurs clients.
Une lueur de compréhension surgit dans le regard de Lúcio
— Évidemment ! Nous sommes des idiots. Quelle heure est-il ?
— Une heure.
— Bien sûr !
Une sonnerie acariâtre rappela à Maria qu'elle tenait indûment l'appareil en main.
— Pense un peu au décalage horaire. On perd notre temps et les crédits de la carte téléphonique. Chez nous, il n'est que sept heures du matin. Notre gérant est sans doute toujours au pieu avec son érection matinale. On retéléphonera dans quatre heures, quand l'agence ouvrira ses portes.
— On rentre ? demanda-t-elle. J'aimerais bien me reposer.

À la sortie du centre commercial, l'air glacial leur coupa le souffle. La température baissait rapidement. À leur grand étonnement, ils virent des myriades de flocons blancs danser devant leurs yeux et adoucir les contours des immeubles voisins. Les voitures, qui sortaient du parking, ne faisaient aucun bruit.

— Il neige, dit Maria, ravie, en enfonçant son passe-montagne jusqu'à ses oreilles.

Elle partit d'un rire cristallin qui fit voler en éclats la mauvaise humeur de Lúcio et donna le coup de grâce à toute la frustration accumulée pendant les dernières heures.

Dieu, qu'elle est belle, pensa-t-il.

Les flocons grossissaient au fur et à mesure que le couple parcourait les rues qui menaient au pont. Ils tombaient de plus en plus dru. La plupart fondaient en touchant le sol, mais certains commençaient déjà à s'accumuler sur le toit des voitures et dans certains recoins particulièrement froids. Ils débouchèrent sur la place qui précédait le pont. Tout le paysage avait acquis un aspect laiteux, trouble. Ils ne distinguaient guère, plus loin, que le bord de la rivière et deux petits voiliers fantômes amarrés au quai. Ils s'engagèrent sur la grande arche, serrés l'un contre l'autre, se protégeant mutuellement des rafales qui glissaient sur les eaux grises avant de heurter leur flanc gauche. Ils avançaient pas à pas, en riant. De temps en temps, ils s'enlaçaient, leurs lèvres se rencontraient et faisaient fondre la neige collée à la moustache de Lúcio. La chute subite de toute cette blancheur les transformait en écoliers insouciants, en amoureux perdus dans un éternel bonheur. Oubliés les banques, les cartes de crédit, les répondeurs, les centres commerciaux, ils existaient uniquement l'un pour l'autre. Sans plus.

Le gîte surgit comme une image empruntée à un livre de contes de fées, comme un spectre tremblotant enveloppé d'un linceul immaculé. Le chemin d'accès et les petites pelouses adjacentes ne formaient plus qu'une surface unie, vierge de toute trace. Ils poussèrent la porte et s'ébrouèrent dans le couloir. Depuis l'entrée de son bureau, madame Töfting les observait d'un œil torve.

La chaleur de la chambre leur ramollit les jambes. Elle retira son manteau, le jeta sur un fauteuil, et se laissa tomber sur le lit. Le second manteau rejoignit bientôt le premier. Il s'étendit sur elle et l'embrassa goulûment. Leurs mains prospectèrent leurs corps puis, impatientes, arrachèrent leurs vêtements respectifs. Ils firent l'amour en s'amusant, en se retenant de crier ou de gémir pour ne pas donner des idées au cerbère posté au fond du couloir. Et le sommeil les assomma.

Ils se réveillèrent dans le noir, la langue pâteuse, les yeux bouffis, la tête vide. L'édredon qui les recouvrait transformait le lit en four. Lúcio le roula en boule et le jeta par terre. Maria bâilla à s'en défaire les mâchoires.

— Je vais prendre un bain, annonça-t-elle en se glissant hors des draps.

Lúcio voulut la retenir, mais une agréable lassitude l'engourdissait. Il se sentait bien, relaxé, en paix pour la première fois depuis le début du voyage. Il n'arrivait pas à ouvrir complètement les yeux. Il roula de côté. L'autre oreiller gardait encore le parfum de Maria. Il y enfonça son visage. Dans la grande bâtisse, un carillon sonna l'heure.

Il se redressa subitement, réveillé. L'heure ? Quelle heure ? Il approcha la montre de ses yeux et essaya d'interpréter le cadran et les aiguilles qui luisaient débilement. Il étendit un bras qui heurta l'abat-jour. Sa paume glissa le long du fil jusqu'à ce qu'elle trouve l'interrupteur.

— Merde ! cria-t-il en se redressant. Huit heures et demie. Deux heures et demie à São Paulo. La banque ferme à trois heures.

Il sauta sur ses pieds et se précipita vers la salle de bains.

— Maria, cria-t-il, nous avons trente minutes pour trouver un téléphone et appeler la banque. Alors, grouille-toi !

Leurs pieds s'enfonçaient dans la neige toute fraîche. Peu nombreux, les derniers flocons voletaient mollement dans la lumière jaune des lampadaires. La rivière impassible les séparait d'une ville déserte qui grelottait sous ce manteau blanc inespéré.

— Là ! montra-t-elle. Une cabine.

Une coupole d'acrylique transparent protégeait partiellement des intempéries l'appareil dont le pied s'enfonçait directement dans la neige. Lúcio fit craquer les articulations de ses doigts.

— Si je garde mes gants, je cours le risque d'enfoncer deux touches à la fois. Si je les retire, je perds mes doigts. Tu as la carte ?

— Oui. Compose d'abord ce numéro. Je te le dicte.

Elle approcha le petit rectangle de ses yeux pour mieux lire.

— Combien de chiffres ? demanda-t-il.

— Onze. Il vaudrait mieux que tu retires ton gant droit. Il y en a d'autres.

— Beaucoup ?

— Ouais !

Une voix murmura à son oreille :

▶ *Enter your code number, now.*

— Qu'est-ce qu'elle radote ? Lúcio se tourna vers Maria. Il lui sembla entendre un rire étouffé.

— Parce que ça t'amuse. Pendant que je perds ma main, Madame prend son pied.

— J'ai déjà pris mon pied cet après-midi et c'était bien bon. L'appareil te demande le code de notre carte.

— Comment tu sais ça, toi ?

— Je t'expliquerai plus tard. Allez, vas-y !

— Dix chiffres. Ça fait vingt et un. On n'est pas sortis de l'auberge, dit-il, avant de souffler sur ses doigts. Ils deviennent durs, constata-t-il.

▶ *Invalid code number. Please, try again.*

— Et alors? demanda Maria.

Il n'arrivait pas à imaginer que cette voix puisse être celle d'un disque ou d'une bande magnétique. Il lui attribuait un visage de femme jeune et belle. Il lui imaginait un corps. Il voyait cet être déguster un verre de vin. Il l'entendait gémir sous les caresses de son amant.

— Et alors? redemanda Maria en lui secouant le bras.

— Elle vient de me dire quelque chose que je ne comprends pas.

Elle pensa un instant.

— Raccroche, et refais tout!

— Les vingt et un numéros? Je ne sens déjà plus ma main, se plaignit-il.

Ils tournaient le dos au vent qui soufflait en continu et soulevait une fine poussière blanche qui recouvrait déjà leurs chaussures. À chaque mot, un petit nuage de buée claire sortait de leurs bouches. Une voiture de police ralentit en les apercevant. Un policier les examina. Lúcio agita la main. L'auto accéléra et prit la direction du pont.

— C'est des trucs pour se retrouver en taule. Par un temps pareil, les gens du cru restent chez eux. Les flics doivent penser qu'on prépare un mauvais coup.

Maria grelottait. Lúcio battait des pieds et reprit l'appareil en main.

— Attends qu'on te demande le code. Si tu le fais trop tôt, ça ne marchera pas.

▶ *Enter your code number, now.*

Il obtempéra.

▶ *Enter your destination number, now.*

Ses sourcils givrés se soulevèrent.

— Le numéro de la banque, au Brésil, souffla Maria. N'oublie pas l'indicatif international, l'indicatif du pays et l'indicatif local.

— Parce que tu les connais tous, toi?

— Chiche! Zéro, zéro. Cinq, cinq. Un, un. Fais vite, dit elle. C'est pas le moment de plaisanter ou on retrouvera nos corps congelés demain matin. Si on meurt, qui payera la facture de l'hôtel?

Il fit jouer les articulations de ses doigts engourdis.

— Et merde! Quinze chiffres!

Son indicateur ne lui obéissait plus et il appuya sur une mauvaise touche. Il fut étonné de s'entendre dire en portugais:

▶ Ce numéro n'existe pas. Veuillez consulter l'annuaire ou demander l'aide de notre service international. Cet appel sera tarifé. Merci.

▶ *For English, press 2.*

Il les refit tous, les trente-six chiffres, et enfila rapidement la main droite dans la poche de son manteau.

▶ Nous vous remercions de votre appel.

— Oh non ! geignit-il. Ça ne va pas recommencer !

▶ Si vous possédez un compte dans notre établissement, faites le 1.

▶ Si vous désirez ouvrir un compte dans notre établissement, faites le 2.

▶ Si vous désirez vous inscrire à notre programme *Cash-épargne*, faites le 3. Pour plus d'informations, consultez notre site Internet.

▶ En cas de perte ou de vol de votre carte bancaire, faites le 4.

▶ Si vous désirez parler à un de nos préposés, composez le numéro de son poste de travail.

▶ Si vous désirez parler au gérant, composez 1000.

▶ Si vous désirez entendre encore une fois ce message, faites le 0.

Il composa 1-0-0-0. Les touches métalliques brûlaient la pointe de ses doigts, comme si elles avaient été chauffées au rouge.

▶ Nous vous remercions de votre appel. Nos bureaux sont ouverts tous les jours, du lundi au vendredi, de dix à quinze heures. Nous vous rappelons que vous pouvez laisser un message sur notre répondeur ou nous expédier une télécopie. Prenez note du numéro de notre télécopieur : 11.31.92.10.50. Au revoir.

Il projeta le combiné contre le plexiglas. Le matériel était solide. À part le bruit, rien ne se passa.

— Les bureaux sont fermés, informa-t-il Maria quand il eut repris son sang froid. Trop tard. On a dormi trop longtemps et on s'est gelé le cul pour rien.

Elle le prit par le bras.

— Allez, viens! On rentre à la maison.

— Elle est bonne, celle-là. «À la maison!» Tu me fais rigoler. Comment penses-tu payer, après-demain, le loyer de notre «maison»? On peut demander à notre sympathique hôtesse de télépho-ner elle-même à la banque. Elle aura peut-être plus de chance que nous.

— Je ne peux pas te répondre maintenant parce que j'ai l'impression de marcher pieds nus sur un étang gelé. Je suis incapable de penser.

Sa colère se défit devant ses yeux malicieux.

— Moi aussi. J'ai l'impression que ma main droite vient de trépasser. Et je vais perdre mes oreilles dans les prochaines minutes. On recom-mencera demain... sans dormir tout l'après-midi.

L'appareil siffla pour les rappeler à l'ordre. Ils s'éloignèrent en le laissant se balancer au bout de son fil.

Couché dans le noir, les yeux ouverts, Lúcio recompta encore une fois les chiffres. Trente-neuf en tout pour s'entendre dire que les bureaux étaient fermés. Debout, dans le vent et sous la neige. Les oreilles et le nez gelés. Il plia et déplia les doigts de sa main droite qui avaient repris leur flexibilité normale. Trente-neuf chiffres. La banque se foutait de sa gueule.

La propriétaire semblait avoir passé la nuit dans le couloir. Elle avait enroulé ses cheveux dans d'énormes bigoudis qu'elle ne prenait pas la peine de dissimuler. Un rien de moustache noire assombrissait sa lèvre supérieure. Son menton faisait deux plis avant de retomber sur sa poitrine. Maria lui trouva un aspect sinistre. Postée à l'endroit habituel, devant la porte ouverte de son bureau, elle les suivait des yeux alors qu'ils se dirigeaient vers la salle à manger. La pièce était froide, son chauffage éteint. Les yeux morts des animaux peints suivaient leurs mouvements. Aucune des tables n'était mise. Elles portaient des chaises retournées qui tendaient vers le plafond leurs pieds rachitiques. Les deux tapis gisaient enroulés près d'un radiateur et une forte odeur de cire remplaçait l'arôme manquant du café chaud. La femme les avait suivis et, de la porte, elle leur fit un signe de négation. Son mauvais sourire rendait le dictionnaire inutile. Les déboires des derniers jours les transformaient rapidement en polyglottes. Pas d'argent, pas de petit-déjeuner !

La serveuse s'approcha en traînant les pieds et en balançant ses gros seins. Le centre commercial était silencieux, la plupart des magasins fermés. L'équipe d'entretien s'affairait au nettoyage des couloirs à grand renfort de balais. Il commanda des œufs, du pain et deux grands bols de café au lait. La caissière les avait reconnus et, fait étonnant, les avait gratifiés d'un signe de tête, agrémenté d'un sourire, sans doute le premier auquel ils avaient droit depuis leur arrivée. Elle les considérait déjà comme des habitués. Ils mangèrent sans entrain, perdus dans leurs pensées.

— Nous avons sept heures à tuer jusqu'à l'ouverture des banques, chez nous. Tu veux faire quelque chose de spécial?

— Ouais, grogna Maria. Je veux que tu m'amènes à l'aéroport le plus proche et que tu m'embarques dans le premier avion pour le Brésil. Aucune importance si je dois voyager debout ou me plier aux caprices de l'équipage.

Il baissa la tête.

Lentement, les badauds commencèrent à apparaître. Les vitrines s'illuminaient les unes après les autres. Les mêmes objets revinrent s'exposer à la convoitise des passants. Vêtements, bijouterie, supermarché, souliers, jouets. Le clown redressait sa perruque et s'apprêtait à commencer une nouvelle journée de travail. Des femmes, seules pour la plupart, le regard triste, marchaient sans but précis. Les haut-parleurs diffusaient de la musique entrecoupée d'annonces. Le temps passa sans se presser, minute par minute, seconde par seconde. Ils passèrent et repassèrent par les mêmes couloirs, illuminés par les mêmes tubes fluorescents, remplis des mêmes murmures, des mêmes bruissements, des mêmes rumeurs. Lúcio s'arrêta devant une pâtisserie.

— Je vais tenter un dernier recours.

Maria le dépassa et se retourna vers lui.

— Fais ce que tu veux, mais sans parler avec la banque, j'ai l'impression que tout ce que tu inventeras ne servira à rien.

Les yeux de Maria laissaient perler des larmes. Un rien de panique déformait ses traits.

— C'est ce qu'on va voir.

La porte des toilettes laissa passer un jeune homme élégant qui vérifia si ses mains étaient bien sèches avant de poursuivre son chemin. Lúcio décrocha un des combinés et composa le numéro 1-800 gravé sur sa carte de crédit.

Il écouta le message en anglais et appuya sur le 6. La langue devint le portugais et la grande litanie se fit entendre :

▶ Si vous désirez communiquer la perte ou le vol d'une carte, faites le 1...

▶ Nous sommes fiers de vous compter parmi nos clients et nous espérons que vous serez satisfaits de nos...

Il enfonça le 3.

▶ Nous sommes fiers de vous compter parmi nos clients et nous espérons que vous serez satisfaits de nos services. Veuillez entrer les seize chiffres de votre carte de crédit.

Musique...

▶ Veuillez patienter...

Musique...

▶ Veuillez patienter...

L'avis sec, en deux mots, lui épargnait au moins les annonces publicitaires. Pourquoi n'avait-il pas pensé tout de suite à cette solution? Avec une avance de fonds, il pouvait payer l'hôtel et fuir cette ville polaire, sa rivière grise, ses chalutiers poussifs, ses maisons tristes, ses rues désertes, et surtout son centre commercial qu'il vomissait déjà Il calcula mentalement ce qu'il convenait de demander. Ni trop, ni trop peu. Pas d'exagération, mais pas d'humilité excessive non plus. « C'est moi le client. C'est moi qui paye tous ces types et leurs répondeurs. » Le temps ne manquerait pas ensuite pour appeler sa banque. Peut-être réussirait-il à obtenir une avance suffisante pour terminer le voyage. « Cinq mille. Ouais! bon! quatre mille. Trois mille cinq cents. C'est ça. Je vais leur demander une avance de trois mille cinq cents réals. »
Musique...

▶ Veuillez patienter...

Musique...

Assise, immobile, la tête appuyée sur ses doigts entrelacés, les yeux grands ouverts, Maria rêvait de chaleur, de fenêtres qui laissent entrer un vent tiède, de soleil et de sable. Elle rêvait d'une ville, pas plus grande que celle de ce cauchemar, pleine de bougainvilliers en fleurs, de gens à l'allure lente, à la peau bronzée, aux visages rieurs. Elle rêvait de tissus légers, de corps délivrés de la carapace de vêtements trop lourds, de seins tressautant librement sous les blouses transparentes. Elle rêvait d'hommes, de cet inconnu en noir entrevu sur cette place glacée. Tous la désiraient et elle s'abandonnait à tous. Des mains la touchaient, puis l'étendaient sur la table. Elle se... Elle regarda, gênée, la caissière, puis la serveuse, certaine qu'elles lisaient ses pensées. La première pliait des serviettes en papier, la deuxième attendait, impassible, la commande de deux femmes qui discutaient en ignorant sa présence. Maria tourna la tête vers le maudit mur, ses quatre téléphones rouges et l'entrée des chiottes des hommes. Lúcio gesticulait avec son bras gauche tandis qu'il parlait.

— *Good morning, Sir. My name is Edward Sheppard. What can I do for you?*

Il connaissait la rengaine.

— *Portuguese, please.* Et allez donc! Dans la langue de son interlocuteur! Les deux mots agrémentés de «i» très longs.

— *Hold on, please, Sir.*

Musique...

▶ Nous sommes fiers de vous compter parmi nos clients et nous espérons que vous serez satisfaits de nos services. Veuillez patienter...

— Bonjour. Je m'appelle Ana Carolina Lisboa. Que puis-je faire pour vous, Monsieur ?

— J'ai besoin d'une avance de fonds, dit-il le cœur battant. Comment dois-je procéder pour l'obtenir ?

— Un moment, s'il vous plaît. Je traduis.

Elle resta au bout du fil. Il suivit toute la conversation, sans rien y comprendre.

— Monsieur Sheppard désire savoir pour quel motif vous demandez cette avance de fonds.

Il soupira, excédé de devoir répéter encore une fois toute son histoire.

— Je passe, avec ma femme, mes vacances dans votre pays. Avant-hier, ma carte de crédit a été bloquée. Mon compte bancaire contient pourtant des fonds plus que suffisants pour couvrir mes dépenses pendant tout mon séjour chez vous. Malgré mes efforts, personne ne me fournit une explication. Alors, en attendant que la situation s'éclaircisse, j'aimerais recevoir une avance de fonds pour payer mes frais d'alimentation et d'hébergement.

Dans sa tête, la somme qu'il s'apprêtait à demander rapetissait à toute vitesse. Se débarrasser de madame Töfting et de son musée de la chasse lui semblait déjà plus qu'assez.

Traduction. Conversation. Attente...

— Monsieur Sheppard désire savoir pourquoi votre carte a été bloquée.

Il décida de jouer la prudence.

— Justement, j'aimerais bien le savoir. Comme je viens de vous le dire, jusqu'à présent, personne n'a réussi à me fournir une explication convaincante.

Traduction. Conversation. Attente...

— Monsieur Sheppard vient de vérifier votre compte chez nous. Il vous reste l'équivalent de douze dollars américains. Cet argent reste à votre entière disposition.

Bien qu'il ne distinguât aucune moquerie dans la voix de la traductrice, il se demanda si elle se gaussait de lui.

— Donc, ma carte n'est pas bloquée. Il s'agit bien d'un manque de fonds. C'est démentiel. Pourquoi cette fable de raisons administratives ? Pourquoi ne m'a-t-on pas dit tout de suite que je n'avais plus assez d'argent ?

— Vous n'avez certainement pas demandé pourquoi votre carte avait été bloquée, Monsieur.

— Vous me prenez pour un imbécile, Mademoiselle ?

— Je ne me permettrais pas, Monsieur.

— Alors ?

— Vous n'avez pas posé la bonne question.

— Ah ! Ouais ? Et, selon vous, quelle est cette bonne question que je n'ai pas posée ?

— Vous vous êtes renseigné et vous avez été informé du fait que votre carte était bloquée pour des raisons administratives, n'est-ce pas ?

Il se retint de crier. C'était sans espoir. Il ne causait pas avec des êtres humains, mais avec des fichus robots, des putains de merde d'automates pourvus d'autant de sentiments qu'un lave-vaisselle.

— Bloquer une carte par manque de fonds constitue une mesure administrative, Monsieur. J'oserais même ajouter qu'il s'agit aussi d'une mesure légale destinée autant à protéger les clients que la banque.

— D'accord, le mot est dit.

Il se passa la main dans les cheveux.

— Selon vous, je n'ai plus d'argent, c'est ça?

— Vous possédez encore douze dollars, Monsieur.

Il respira à fond plusieurs fois. Ses mains fourmillaient d'énervement et d'envie d'étrangler cette femme. Existait-il un moyen de retrouver cette mégère quelque part, d'obtenir son adresse, de lui faire payer son indifférence et sa froideur? La torturer. La violer. Lui faire avaler son téléphone…

— Et le reste? articula-t-il à grand-peine.

— Quel reste, Monsieur?

— Ce qui manque, Mademoiselle! Tout ce que je n'ai pas eu le temps de dépenser! Mon argent, quoi!

— Je n'ai pas accès à vos comptes bancaires.

— J'ai déjà entendu ça quelque part. Mais, en attendant, une erreur s'est glissée dans vos infaillibles rouages financiers. Comme je me trouve à plus de dix mille kilomètres de chez moi, je n'ai aucun moyen de le prouver. Je sollicite donc une avance de fonds pour parer au plus pressé.

— Un instant, s'il vous plaît, Monsieur.

Le conciliabule prit un certain temps.

— Monsieur, monsieur Sheppard demande depuis combien d'années vous êtes détenteur de notre carte?

—Vous voulez dire depuis quand je suis client de ma banque?

— Non, Monsieur. Depuis quand possédez-vous notre carte de crédit?

— Depuis quatre mois. J'ai demandé votre saleté de carte pour ne pas m'encombrer d'argent pendant mon voyage. J'aurais dû me couper la langue et les doigts avant de signer le contrat.

— Un instant, s'il vous plaît, Monsieur.

Il se serait volontiers donné des baffes pour ne jamais avoir étudié une langue étrangère.

— Monsieur, quelle a été la moyenne de vos dépenses pendant ces quatre mois ?

— Aucune. Je ne me sers de cette carte que depuis mon arrivée. Au Brésil, je paye comptant ou par chèque.

Il rongeait son frein pendant qu'elle traduisait.

— Monsieur Sheppard dit que, à son grand regret, il ne peut rien faire pour vous, Monsieur.

— Mais… mais…

Il ne trouvait aucun argument face à cette voix qui dispensait les renseignements comme un rouleau de papier hygiénique dispense ses feuilles.

— Mais… pourquoi ?

— Pour avoir droit à une avance, nos clients doivent s'encadrer dans un profil financier bien précis.

— Et je ne possède pas ce profil ?

— Exactement, Monsieur. C'est ce que monsieur Sheppard m'a prié de vous dire, Monsieur.

— Pouvez-vous au moins lui demander ce qu'il me suggère de faire ?

— Certainement, Monsieur.

« Parfaitement », « exactement », « certainement », « évidemment ». Ces gens recevaient-ils un entraînement spécial pour répondre aux clients par des adverbes? Ou les choisissait-on parce qu'ils étaient nés avec ce ton glacial et cette voix morte, dépourvue d'émotion?

— Monsieur, monsieur Sheppard vous suggère d'entrer en contact avec votre organisme financier.

— Mon organisme financier?

— Votre agence bancaire, Monsieur. Ou alors, l'agence qui vous a fourni la carte.

— Retour à la case départ!

— Pardon, Monsieur?

— Rien, Mademoiselle. On m'a déjà donné cette réponse hier, dans les mêmes termes. Je tourne en rond.

— Puis-je encore faire quelque chose pour vous, Monsieur?

Il secoua la tête, comme si elle pouvait le voir. Des idées de viol continuaient à se manifester dans sa tête. Comment découvrir où cette pute nichait? Il ne se souvenait même plus de son nom. Lui faire sentir sa souffrance, son désespoir. L'abandonner seule, au beau milieu de l'Amazonie, pour que des piranhas la bouffent. Sa colère retomba et ne laissa qu'une énorme lassitude. Il raccrocha sans ajouter un mot.

— Et alors? Aucune raillerie ne transparaissait ni sur les traits, ni dans la voix de sa femme.

— Rien à faire. Pas moyen de leur soutirer un peu d'argent, à quelque titre que ce soit. Je ne suis pas un bon client parce que je ne dépense pas assez. Comme je ne dépense pas assez, je n'ai pas le profil pour qu'un organisme financier m'avance des fonds. Tu t'es mariée avec un pauvre merdeux qui ne mérite même pas d'ouvrir un compte bancaire ou de posséder une carte de crédit.

Il avala une gorgée de café et fit une grimace.

— Un vrai délire, le goût de leur bibine.

Il contempla sa tasse.

— Mais j'ai quand même su quelles étaient les raisons administratives en question.

Elle se contenta de hausser les sourcils.

— On n'a tout simplement plus de fric.

— Comment ça, plus d'argent ? Hier encore, tu m'as montré...

— Je sais.

Il ouvrit son carnet.

— Regarde. En principe, nous possédons encore le triple de ce que nous avons dépensé jusqu'ici.

— Prochaine étape ? Tu essayes quoi ?

— On fait passer le temps. Je te prie de croire que monsieur Yamaguchi, tout gérant qu'il est, va devoir écouter quelques vérités. On achète des provisions et on retourne manger à l'hôtel.

⌨

— Eh ! Où sont passées nos valises ?

Arrêtée sur le seuil de la porte, Maria examinait la chambre. Le lit n'était pas fait, le chauffage était éteint, et leurs bagages brillaient par leur absence. Bien en vue, appuyée contre une lampe de chevet, une enveloppe contenait une facture.

Ils se précipitèrent dans le couloir et entrèrent en trombe dans le bureau. En plus des trophées de chasse et de la propriétaire des lieux, ils repérèrent immédiatement leurs effets à moitié dissimulés par la masse imposante d'une espèce d'armoire à glace souriante qui maintenait les bras croisés contre sa poitrine. La femme, elle, ne souriait pas. Elle montra leurs valises du doigt, fit non de la tête, puis leur fit le signe universel de l'argent en frottant son index contre son pouce. Le message était on ne peut plus clair. Leurs bagages servaient maintenant de caution. Pas de danger qu'ils s'en aillent sans payer leur note de frais.

La neige fondait rapidement. L'eau dégoulinait de partout et formait des flaques ridées par le vent. Le froid torturait leurs visages. Malgré tout, un pan de ciel bleu clair s'étendait au-dessus de l'horizon, là où le fleuve se jetait dans l'océan. Des trous dans les nuages laissaient passer des rayons solaires qui formaient des éventails de lumière au milieu d'une grisaille déprimante. Tandis qu'ils traversaient le pont, le ciel se dégagea complètement. Une timide chaleur les enveloppa.

— Ça s'annonce bien, murmura Lúcio.

Ils s'étaient arrêtés. Maria laissait les rayons du soleil caresser son visage. Penché sur la rambarde, Lúcio regardait fluer cette eau qui avait maintenant perdu sa tonalité grise pour refléter le bleu profond du firmament. Des poissons sautaient, comme excités par les paillettes d'argent qu'eux-mêmes provoquaient. Sur les toits, les derniers vestiges de neige mouraient en séismes de reflets blancs. Une voiture les dépassa, semant derrière elle des vestiges de glace accrochés à sa tôle. Maria s'était remise à marcher, à pas lents, indifférente à la beauté qui surgissait de toute part. Il la rejoignit en quelques enjambées et la força à s'arrêter.

— C'est pas le moment de faire de la déprime. Regarde autour de toi. Tout va s'arranger. Même le temps peut devenir beau dans ce pays.

Elle se dégagea, fit encore quelques pas et éclata en sanglots. Il la prit dans ses bras, la serra contre lui et lui caressa la tête. Les rares passants ne faisaient pas attention à ce couple loufoque qui s'embrassait au sommet de l'arche. Un signal lumineux passait inlassablement du vert au rouge, du rouge au vert, et contrôlait sans relâche une absence presque totale de circulation.

La séance du cinéma se termina à quatre heures. Ils eurent droit à une superproduction hollywoodienne qui leur remplit les yeux de sang, de sexe et d'imbécillité, et les oreilles d'explosions, de cris et de coups de feu.

— Il est midi, chez nous, dit-il en plissant les yeux sous l'éclairage immuable de la galerie.

Elle voulut dire quelque chose. Il lui plaça tendrement deux doigts sur la bouche.

— Tu vas t'asseoir à notre table préférée, tu t'offres un bon café et tu me laisses faire.

Il retrouva le mur, la porte des toilettes et les téléphones, quatre taches rouges sur fond beige neutre. Il remarqua, pour la première fois, qu'un des appareils avait été accroché plus bas que les autres.

Pour des enfants? Des handicapés? Il se foutait pas mal des uns et des autres. *Son* appareil était occupé par une femme en manteau bleu foncé qui consultait un petit calepin et énonçait des données étouffées par le bruit de fond de l'endroit. Vue de profil, elle était belle, avec un minuscule nez retroussé et des cheveux blonds, presque blancs, soigneusement peignés en arrière. Elle émit un rire de contralto, prononça encore quelques mots, et raccrocha. Elle se retourna et dévisagea étonnée cet homme aux traits fatigués, qui attendait que son appareil se libère bien que trois autres étaient libres à côté. Lúcio examina soigneusement sa carte et procéda sans erreur: le numéro de l'opérateur, le code, le numéro de la banque. Les trente-six chiffres y passèrent. Et la litanie reprit:

▶ Nous vous remercions de votre appel.

▶ Si vous possédez un compte dans notre établissement, faites le 1.

▶ Si vous désirez ouvrir un compte dans notre établissement, faites le 2.

▶ Si vous désirez vous inscrire à notre programme d'épargne *Cash-épargne*, faites le 3. Pour plus d'informations, consultez notre site Internet.

▶ En cas de perte ou de vol de votre carte bancaire, faites le 4.

▶ Si vous désirez parler avec un de nos préposés, composez le numéro de son poste de travail.

▶ Si vous désirez parler au gérant, composez 1000.

▶ Si vous désirez entendre encore une fois ce message, faites le 0.

Il composa le 1-0-0-0 sans aucune hésitation. Trois sonneries plus tard, une voix de femme annonça :

▶ Monsieur Yamaguchi est absent pour le moment. Après le signal sonore, veuillez laisser votre message ou rappelez-nous dans deux heures. Merci. Au revoir.

Tordre le combiné, arracher l'appareil du mur, lancer des jurons à voix haute ? Il se contenta d'un « fils de pute » que personne n'entendit. Un tambour battait contre ses tempes et une nausée insupportable remuait son estomac. Il s'enferma dans une cabine des toilettes et, pendant que ses intestins se vidaient, des larmes dévalaient sur ses joues.

Il se lava soigneusement le visage obscurci par une barbe de trois jours. Évidemment, il n'y avait pas de serviettes disponibles. Rien que des engins bruyants, fixés au mur au niveau de son nombril, qui laissaient échapper des jets d'air chaud vers le bas. Il se sécha avec du papier hygiénique et retourna à son téléphone.

Le soleil avait vidé le centre commercial des jeunes mères qui y promenaient habituellement leurs enfants. Ils ne restaient que quelques rares acheteurs et un groupe de vieux qui discutaient en gesticulant. Lúcio avait maintenant pour voisin un homme corpulent, au teint cuivré, qui parlait haut et fort en espagnol. Le mot *mierda* revenait sans cesse, comme un point d'exclamation. Il ne semblait pas le moins du monde se soucier du fait qu'il pouvait être entendu, mais lui tourna le dos quand il s'approcha.

Lúcio connaissait déjà le numéro de la carte et le code par cœur.

► *Enter your destination number, now.*

L'inconnue, qui avait enregistré ce message, lui donnait des idées de brutalité, de coups, de cruauté. Il l'imaginait, écrasée sous son corps. Elle pleurait, elle gémissait, elle se débattait, puis finissait par le supplier : «*Now! Now! Now! Oh! Yes! please! Oh yes!*». L'air n'arrivait pas à remplir ses poumons tandis qu'il composait encore une fois les quatorze chiffres du numéro de téléphone de son agence bancaire.

► Nous vous remercions de votre appel.

N'existait-il que des femmes pour prêter leur voix à cette subtile torture ? Ou la torture devenait-elle plus subtile avec une voix de femme ?

► Si vous possédez un compte dans notre établissement, faites le 1.

Il sauta le reste du menu. Sa main tremblait de rage, impuissante. Il eut du mal à terminer.

▶ Veuillez composer votre code secret de huit chiffres.

Le code ? Oui, le code. L'anniversaire de sa mère plus le numéro de sa maison. 62. Pas de problème avec la maison. «Voyons, l'anniversaire de ma mère.» Au lieu de penser, il parlait à haute voix. Entre deux *mierda*, son voisin se retourna pour le dévisager avec curiosité.

Mai égale 05. La mémoire lui revint brusquement. 12051952. Il enfonça les touches.

▶ Si vous désirez connaître le solde de votre compte bancaire, faites le 1.

▶ Si vous désirez connaître la limite de crédit de votre carte, faites le 2.

▶ Si vous désirez connaître l'état des dépenses de votre carte de crédit, faites le 3.

▶ Si vous désirez recevoir par télécopieur un état de compte de votre compte bancaire, faites le 4.

▶ Si vous désirez obtenir une connexion Internet, faites le 5. Vous trouverez toutes les informations de notre service *À la maison* sur notre site Internet.

▶ Si vous désirez réaliser une opération financière, faites le 6.

▶ Si vous désirez entendre encore une fois ce message, faites le 0.

Il enfonça le 3. La terre promise était encore loin...

▶ Veuillez entrer les seize chiffres de votre carte de crédit.

« Encore », pensa-t-il. Il s'exécuta en prenant soin de ne pas se tromper.

▶ Veuillez composer le code de six chiffres qui vous permet de retirer de l'argent aux guichets automatiques. Cette exigence de la Banque centrale vise votre propre protection. Veuillez nous en excuser.

— Merde !
Son voisin ne se formalisa pas d'être imité dans une langue jumelle. Une ébauche de sourire détendit ses traits.
« Ça vous fait rigoler, voulut crier Lúcio, le malheur des autres vous amuse, hem, espèce de connard. » Il se retint, conscient de son imbécillité. Il dut s'appuyer contre le mur pour ne pas tomber. Il n'avait eu recours à un guichet automatique que deux fois. Il ne connaissait pas le code par cœur, soigneusement noté au crayon sur la dernière page du passeport de Maria.
Il retourna aux toilettes pour s'asperger le visage d'eau.
— J'ai besoin de ton passeport, dit-il à Maria avec un enjouement feint. J'ai oublié le code de

notre carte. Tu sais, celui qui est nécessaire pour retirer de l'argent.

Trente-six touches plus tard, le sempiternel message se fit entendre : il l'écouta et enfonça le 1. «Trente-sept», pensa-t-il.

▶ Nous vous remercions de votre appel.
▶ Si vous possédez un compte dans notre établissement, faites le 1.

«Trente-huit.»

▶ Nous vous remercions de votre appel.
▶ Veuillez composer le numéro de votre compte.

313350. «Quarante-quatre.» Il fut pris d'une subite envie de rire.

▶ Veuillez composer votre code secret de huit chiffres.

«L'anniversaire de maman plus 62.» Il compta sur ses doigts. Il avait maintenant fait cinquante-deux chiffres.

▶ Si vous désirez...

Le 3. «Cinquante-trois. Un putain de record Guinness ! Et c'est pas fini !»

▶ Veuillez entrer les seize chiffres de votre carte de crédit.

«Plus seize, ça fait soixante-neuf.» La tragédie tournait à la farce, au burlesque, au vaudeville.

▶ Veuillez composer le code de six chiffres qui vous permet de retirer de l'argent aux guichets automatiques. Cette exigence de la Banque centrale vise votre propre protection. Veuillez nous en excuser.

«Plus six. Soixante-quinze touches enfoncées. On devrait pouvoir le faire d'un seul coup. Ce serait beaucoup plus drôle.»
Ce qu'il entendit ensuite l'était beaucoup moins.

▶ Votre solde pour le mois courant est de vingt-sept réals et cinquante-deux cents. Somme bloquée : huit mille six cent soixante et un réals et trente-quatre cents.

Un silence... Puis :

▶ Votre solde pour le mois...

L'angoisse lui noua la gorge. Maria n'était plus à sa place. La caissière lui fit un signe de tête vers la gauche. Sa femme examinait encore une fois la vitrine du magasin de chaussures.
— Tu m'as fait peur, dit-il.
Elle le gratifia de son beau sourire.
— Pourquoi ?
— J'ai cru que tu étais partie.

Un air d'amusement, mêlé à un peu d'ironie, flottait dans ses yeux.

— Partir pour aller où ? Tu as mon passeport et je n'ai plus un rond. D'ailleurs, nous n'avons plus un rond, corrigea-t-elle. Et plus de bagages non plus. Il nous reste une voiture qu'on ne peut pas vendre et deux billets d'avion... sans aéroport international à des lieues à la ronde.

— Un beau jeune homme aurait pu t'enlever.

— Possible ! Mais il faudrait d'abord que je me refasse une beauté. Coiffeur, manucure, parfums rares, une belle robe, un rang de perles, des talons hauts. Tu vois ce que je veux dire ?

— Je vois. Mais tu n'as pas besoin de tout ça pour être belle. Tu le serais en haillons.

— Ce qui, vu notre situation actuelle et la tête que tu as, ne tardera pas à arriver. Elle ajouta, avant qu'il ne réponde : Je sais, tu n'y es pour rien. Tu voulais juste m'offrir de belles vacances. Mais quand j'entends ce mot, je ne peux m'empêcher de voir poindre une certaine ironie.

— Tu enfermes ton ironie dans un tiroir, à double tour. On ne va pas se disputer parce que les disputes, ça donne faim, et on n'a pas les moyens de s'offrir un dîner aux chandelles.

Le rire affleura, facile. Il en eut le cœur réchauffé.

— Je te signale, dit-elle, que ton dernier coup de fil a pris plus d'une heure. Succès ?

— Non. Nous sommes toujours dans la dèche. Des mendiants avec un compte bancaire bien garni. Une première ! Malgré nos économies, il ne nous reste qu'une douzaine de dollars.

— Le reste s'est volatilisé comment ? Je croyais que l'argent était en sécurité dans les banques. Toutes leurs pubs essayent de nous en convaincre !

— Je pensais exactement la même chose, dit-il, en consultant sa montre. Je retourne à ma galère parce que cette putain de banque est bien capable de fermer. Tiens, je commence à l'apprécier mon téléphone. J'en veux un de cette couleur quand on sera rentrés.

Elle soupira à fendre l'âme.

Il refit toute la série de chiffres. Ses doigts reconnaissaient les touches du clavier alphanumérique et se passaient presque de la vue.

▶ Nous vous remercions...

Il parcourut de nouveau tout le mystérieux chemin électronique qui ne menait nulle part. Il enfonça les touches 1-0-0-0.

— Réponds, dit-il.

Le téléphone sonna une fois.

— Réponds, enfant de salaud !

Le téléphone sonna une deuxième fois.

— Yamaguchi, bonjour.

Lúcio remplit brusquement ses souliers de transpiration et fut persuadé, pendant un long moment, que tout l'air du centre commercial avait été drainé vers l'extérieur. Durant plusieurs secondes, il ne réussit à articuler aucun mot.

— Oui… dit la voix.

— Heu… bonjour, Monsieur.

— Bonjour.

— Je suis un client de votre succursale et j'ai besoin de votre aide.

— Mais certainement, Monsieur. Je suis ici pour vous aider. Excusez-moi, mais quel nom avez-vous dit ?

— Lúcio Ribeiro.

— Un instant, s'il vous plaît.

Bruit de clavier.

— Effectivement, monsieur Ribeiro. Vous êtes notre client depuis quatre ans. Je n'ai pas eu souvent le plaisir de vous recevoir. Que puis-je faire pour vous ?

L'étau qui oppressait sa poitrine se desserra. Les couloirs se remplirent d'oxygène. Il choisit ses mots avec soin.

— Je suis en vacances à l'étranger avec ma femme. Nous nous retrouvons sans argent parce que notre carte de crédit a été bloquée à cause d'un motif qui m'échappe et que personne ne réussit à m'expliquer. Avant d'embarquer, j'ai laissé dans mon compte plus d'argent qu'il n'en fallait pour voyager en paix. Je veux savoir ce qui se passe et, surtout, j'aimerais avoir accès à mon propre argent.

— Un instant, s'il vous plaît.

Le type employait, lui aussi, des mots et des phrases passe-partout. Un répondeur masculin ? Maria le regardait d'un air engageant. La caissière l'observait par-dessus un livre qu'elle feignait de lire. La serveuse somnolait devant une pile d'assiettes.

— Monsieur Ribeiro? Je viens de vérifier. Votre carte est suspendue pour toute dépense qui dépasse vingt-sept réals, c'est-à-dire l'équivalent de douze dollars américains, plus ou moins. Je vois aussi qu'une somme de huit mille six cent soixante-deux réals est bloquée dans votre compte.

— On y arrive. C'est exactement l'argent qui manque. Pourquoi cette somme est-elle bloquée?

— C'est à vous de le savoir, monsieur Ribeiro. J'ignore comment vous avez disposé de votre numéraire.

— Mais vous devez avoir un extrait de mes dépenses sous les yeux.

— Oui, certainement. Attendez. Voilà. Jusqu'à présent... Mille huit cent quatre-vingt-dix-huit réals.

Rapide calcul mental: environ dix mille, moins mille huit cent quatre-vingt-dix-huit...

— Il m'en reste donc plus de huit mille.

— Non, puisque cette somme est bloquée.

Lúcio se pinça le nez et fit un effort surhumain pour rester calme.

— Deux questions, dit-il.

— Je vous en prie.

— Pourquoi cet argent est-il bloqué et comment puis-je y avoir accès?

— Comme je vous l'ai déjà dit, je ne connais pas l'état actuel de vos dépenses. Les factures n'arriveront que dans les prochains jours. J'ignore donc pourquoi cette somme a été bloquée. Mais tant qu'elle le sera, vous n'y avez pas accès. Remarquez qu'il ne s'agit pas de mauvaise volonté de notre part. Nous avons affaire à une imposition légale.

Lúcio passa sa langue sur ses lèvres sèches.

— Comme gérant d'une agence bancaire, vous devez quand même avoir une vague idée de ce qui se passe. Je n'arrive pas à croire que les motifs d'une telle mesure soient tellement nombreux.

— Avez-vous loué une voiture, monsieur Ribeiro?

— Oui, pour une dizaine de jours.

— Un modèle de luxe?

— Je vois où vous voulez en venir. On m'a déjà fait ce genre de baratin. J'ai laissé l'empreinte de ma carte quand j'ai signé le contrat, et l'agence a le droit de bloquer la somme due, plus vingt pour cent. La location de la voiture plus les dépenses d'essence n'atteindront pas les deux mille réals. Dans le pire des cas, il manque toujours six mille.

— Votre hôtel a-t-il aussi pris cette empreinte?

— Non. Et c'est bien ce qui me préoccupe. Je dois impérativement quitter la chambre aujourd'hui et je n'ai pas les moyens de la payer. Que pouvez-vous faire pour moi dans l'immédiat?

Le silence dura une éternité.

— À combien s'élèvent vos frais d'hôtel? demanda finalement Yamaguchi.

— Avec les deux nuits supplémentaires, mille réals, plus ou moins, au change du jour.

— Je vais m'informer à l'agence mère. Elle m'autorisera ou non à vous avancer des fonds qui devront évidemment être remboursés avec les taux d'intérêt pratiqués par le marché. Vous me comprenez?

— Oui! oui!

Il se foutait des taux d'intérêt et du marché. Comme il se foutait de ce Japonais prétentieux qui lui donnait l'aumône du bout des lèvres !

— En attendant, poursuivit le gérant, je vous conseille d'appeler l'agence de location. Vous réussirez peut-être à les convaincre de débloquer une partie de votre argent. Rappelez-moi dans deux heures. Au revoir.

⚏

— Quelle heure est-il, maintenant ?

— Six heures.

— Donc, midi chez nous. Je dois rappeler Yamaguchi à huit heures.

Il lui expliqua la teneur de la conversation. Elle hocha la tête.

— À mon tour, dit-elle. Je ne sais pas m'y prendre avec une banque, mais une agence de location de voitures sera peut-être plus sensible à mes charmes qu'aux tiens. Surtout si je tombe sur un homme. Fais un peu de lèche-vitrine. Jusqu'à présent, tu ne connais que les téléphones du centre. Défense d'acheter, poursuivit-elle, pince-sans-rire. Je te retrouve au *fast-food* habituel. La caissière nous a à la bonne. Si rien ne marche, on pourra toujours lui soutirer un prêt.

Devant le téléphone, Maria fouilla dans son sac et en retira les documents relatifs à la location de la voiture. Au verso d'un dépliant figurait une série de numéros de téléphone attribués chacun à une langue différente, y compris au portugais. Tous les numéros commençaient par 1-800.

▶ *Eagle-Rent-A-Car.* Merci de nous avoir appelés.

« Le monde entier pris en otage par des répondeurs. » Elle imagina un vaste réseau informatique, constitué d'ordinateurs qui se renvoyaient sans cesse les clients importuns en quête d'informations ou d'aide.

▶ Pour louer une voiture, faites le 1.
▶ Pour tout bris mécanique à votre voiture louée, faites le 2.
▶ Pour nous signaler un accident, faites le 3. La voix changea de ton. « Ne remettez en aucun cas à quiconque les documents de la voiture avant de nous avoir contactés. »
▶ Pour participer à notre programme *On-The-Road*, faites le 4. Le règlement complet figure sur notre site Internet.
▶ Pour toute information sur notre programme *Fly'n Drive*, faites le 5. Le règlement complet figure sur notre site Internet.
▶ Pour un appel personnalisé, faites le 6.
▶ Pour écouter de nouveau ce menu, faites le 0.

L'appel personnalisé s'approchait le plus d'une possibilité de contact avec un être humain.

▶ *Eagle-Rent-A-Car.* Merci de nous avoir appelés.

▶ Veuillez composer le numéro qui figure sur le coin supérieur gauche de votre facture, en chiffres rouges sur fond blanc.

Retrouver la facture se révéla plus difficile que le fait de composer le numéro.

▶ Veuillez patienter. Un de nos préposés vous répondra dans un instant...

La Marche militaire de Schubert surprit agréablement son oreille...

▶ Veuillez patienter. Un de nos préposés vous répondra dans un instant...

Retour de La Marche militaire...

▶ Connaissez-vous notre programme On-The-Road ? Chaque...

— Milène Campos, bonjour. Que puis-je faire pour vous aider ?
— Nous avons loué une voiture chez vous, Madame. Ma banque m'apprend que vous avez fait bloquer une somme supérieure à la valeur de la location dans mon compte. Je comprends que vous souhaitiez avoir des garanties, mais est-ce que vous n'exagérez pas un peu ?
— La voiture a été louée à votre nom ?
— Non. Au nom de Lúcio Ribeiro.
— Un moment, s'il vous plaît. Je vais vérifier.

Retour de *La Marche militaire*...

Maria sombra dans une torpeur agréable. Son corps fourmillait. Sa tête devenait légère. Elle se détacha subitement de tout ce qui l'entourait. Les bruits du centre commercial devenaient feutrés. Ils montaient et descendaient en unisson avec la musique qui baignait son oreille. Les gens n'existaient plus que sous forme de mouvements ouatés sur fond de lumière douce.

— Madame! Madame!

Le brouillard se déchira.

— Oui, dit-elle.

— Nous ne bloquons aucune somme sur la carte de crédit de nos clients. J'ai vérifié avec mon supérieur. Nous prenons l'empreinte de la carte et c'est tout. La facture est payée quand la voiture nous est remise. Quelqu'un vous a mal renseignée.

— Vous êtes certaine?

— La politique appliquée par *Eagle-Rent-A-Car* est très stricte et vaut pour tous nos contrats. Ce que vous m'avez demandé m'a tellement étonné que j'ai relu la copie du vôtre. Il s'agit bien d'un contrat standard de courte durée, comme les autres. Aucune somme n'a été bloquée. Cette pratique a été courante à une certaine époque, mais elle a été abandonnée depuis plus de dix ans.

Maria retrouva son mari devant la vitrine d'un magasin d'informatique. Il avait l'air d'un enfant perdu dans un entrepôt de jouets.

— Je pense sérieusement m'en acheter un, dit-il en désignant un Tamro 2002. C'est ça que j'appelle un portable. ADA de trois gigahertz, disque dur de quatre-vingts gigaoctets, cinq cent douze mégaoctets de mémoire vive. L'appareil ne pèse pas plus d'un kilo...

Elle lui fit signe de se taire.

— Ah! oui. Et tu penses acheter cette merveille de la technologie moderne avec notre carte, sans doute?

— Je veux dire, quand on sera rentrés à la maison.

— Justement, rentrer chez nous pose encore un sérieux problème. Nous continuons d'être toujours aussi fauchés qu'avant.

— Tu n'as pas réussi à convaincre l'agence?

— Tout le problème est là. Ces gens ne font bloquer aucune somme sur un compte courant. Monsieur Yamaguchi, et toutes les autres personnes à qui tu as parlé, t'ont raconté des conneries.

— Hein?

— Eagle n'a rien bloqué. Il paraît que cela ne se fait plus depuis des années. La bonne femme, à qui j'ai parlé, est formelle.

Elle l'entraîna loin du magasin. Lúcio semblait avoir reçu un coup dans le ventre. Il bégaya:

— Mais... mais, alors par qui?

— Comment veux-tu que je sache?

— Putain! On retéléphone au Brésil. Je vais lui dire ce que je pense à ce merdeux.

Il composa le numéro de la carte et attendit.

— Rien ne t'oblige à rester avec moi.

Elle lui donna un baiser sur la joue.

— Les vitrines, je les connais déjà par cœur. Laisse-moi t'aider. Ça ira plus vite.

▶ *Enter your code number, now.*

Lúcio battait brutalement du plat de la main le socle de l'appareil.

—Tu vas finir par le détraquer.

— Je les emmerde.

▶ *Enter your destination number, now.*

Au lieu de la sonnerie, il entendit un déclic. Une autre voix débita un nouveau message et se tut. Il patienta jusqu'à ce que l'appareil émît le bruit strident qui signalait qu'il fallait raccrocher.

— Je l'ai peut-être cassé après tout, grommela-t-il.

— Essaye avec un autre.

Il tenta avec les quatre, sans aucun résultat. Elle prit la carte et l'examina.

— Il y a un autre numéro, ici, en bas. Peut-être un service d'information. C'est gratuit.

Elle ne s'était pas trompée. La réponse fut immédiate. À sa grande stupéfaction, une voix de femme dit :

— *Telpar System. Good afternoon. How can I help you?*

— Les appareils n'ont rien. C'est toi qui t'es trompé.

Il mit sa main sur le combiné.

— Avec tous les quatre? Et il dit haut : *Speak Portuguese, please.*

— *Hold on, please, Sir.*

— Système Telpar. Bonjour. Que puis-je faire pour vous, Monsieur?

— J'essaye d'obtenir le Brésil avec une de vos cartes et je n'y arrive pas.

— Aucun problème, Monsieur. Veuillez me donner le code de votre carte et le numéro du destinataire. Je vais établir la connexion pour vous, Monsieur.

L'attente fut brève.

— Monsieur, la communication est impossible. Il ne vous reste pas assez de crédit pour un appel international.

— Comment?

— Votre crédit est épuisé, Monsieur. Si vous souhaitez appeler un abonné au Brésil, vous devez acheter une autre carte.

— Merde, éructa-t-il! Il nous faut une autre carte. Et vite, sinon il sera trop tard pour rejoindre le gérant.

Ils firent le tour du centre commercial sans rien trouver. Ils finirent par montrer la carte à la caissière qui leur fit comprendre qu'ils devaient sortir du centre, en faire le tour et trouver un kiosque à journaux ouvert.

Les cartes étaient presque aussi nombreuses que les revues. Ils n'eurent que l'embarras du choix. De l'autre côté de la rue, une cabine semblait les attendre. D'abord, le numéro de la compagnie téléphonique, puis le code ; par habitude, il en arriva tout de suite au mille, au gérant, à Dieu.

Sonnerie.

— Réponds, bordel ! dit-il, comme s'il implorait le Tout-Puissant.

Sonnerie.

— Mais réponds donc, fils de pute !

Sonnerie.

— Je sais que tu es là, mon salaud. Réponds !

Sonnerie.

— Ne me laisse pas tomber maintenant. Bordel. Réponds !

Sonnerie. Sonnerie. Sonnerie.

Il baissa la tête, vaincu. La banque était fermée. Le gérant avait dû oublier de brancher son répondeur en partant. Le cauchemar recommençait. Il refoula une forte envie de pleurer, de tout casser, de tabasser ces gens qui rentraient chez eux et qui s'offraient un verre ou attendaient la prochaine séance du cinéma. Il n'osait pas croiser le regard de Maria.

Il sentit les doigts de sa femme caresser son visage puis ses lèvres se presser contre son front. Elle l'enlaça et le serra contre son corps. L'absurdité du monde sembla se dissiper un tout petit peu.

Madame Töfting tapotait avec un crayon sur une revue de chasse quand Lúcio entra. Sur la couverture, un renard faisait face à une meute de chiens encouragés par trois énergumènes grimaçants, armés d'imposants fusils. Il jeta sa carte sur le bureau, plus qu'il ne la posa. Le géant souriant les observait.

— Ma vieille, si ça ne marche pas, appelle les flics, dit-il, certain de ne pas être compris.

Avec une grimace méprisante, la femme passa la carte. Lúcio serrait fort la main de Maria.

— On se retrouve au poste, murmura-t-il. Quelqu'un sera bien obligé de faire quelque chose. Ce sera une façon comme une autre de nous sortir du pétrin.

L'imprimante cliqueta. La propriétaire se pencha vers elle. Son gigantesque ange gardien s'approcha pour mieux voir. Lúcio n'en croyait pas ses yeux. L'appareil imprimait sans bruit l'étroite facture.

La tenancière fut la première à réagir. Elle arracha le papier d'un geste sec et l'examina longuement. Elle le tendit à Lúcio avec un stylo à bille.

Cinq nuits, petits-déjeuners inclus. Il y avait même un espace réservé pour le pourboire. Lúcio lisait et relisait surtout la dernière ligne : transaction acceptée. Il dissimula son soulagement. Le Japonais avait donc libéré une somme suffisante pour parer au plus pressé. Sans signer, il montra leurs valises et ordonna au géant, par mimique, de les rapporter dans leur chambre. Il prit Maria par le bras et alla s'installer dans la salle à manger. Puisqu'on leur avait refusé leur petit-déjeuner inclus dans le prix de la chambre, qu'on leur serve au moins une petite collation avant leur départ ! Pas de collation, pas de signature. Le message passa cinq sur cinq. Le café au lait, le pain, le beurre et la confiture ne furent pas longs à apparaître.

Le lit n'était toujours pas fait, mais ils s'en foutaient. Ils examinèrent soigneusement leurs bagages, prirent un long bain, et changèrent de vêtements.

Les deux personnages attendaient dans le bureau. Lúcio signa la facture, empocha sa copie et leur tourna le dos. Leur voiture démarra avec un ronflement satisfait. Pour la première fois en cinq jours, Maria avait le visage détendu.

Ils s'enfuirent plus qu'ils ne partirent. La route montait et serpentait, entre une falaise où l'eau de la fonte des neiges dégoulinait en emportant avec elle des blocs de glace, et un ravin au fond duquel coulait une rivière. Le soleil oblique allongeait, sur l'asphalte, l'ombre des sapins. Lúcio continuait, soucieux.

— Qu'est-ce qui te chiffonne ? demanda-t-elle

— Regarde autour de toi.

Ils avaient atteint un plateau aride. La forêt, qui les avait accompagnés dans leur ascension, cédait le pas à une végétation rabougrie qui s'abritait du vent sous des rochers debout, comme autant de doigts tendus vers le ciel.

Le soleil sombrait derrière les collines qui bouchaient la vue, à l'ouest. Il éclaboussait de sang quelques nuages allongés qui flottaient au-dessus des élévations. À l'est, le ciel devenait de plus en plus noir et quelques étoiles brillaient déjà.

— Je ne parviens toujours pas à apprécier ce genre de beauté, dit-elle en frissonnant.

— Je serai le dernier à te le reprocher. Mais ce n'est pas ça que je voulais dire. Le soir tombe et je ne sais pas combien Yamaguchi nous a avancés. Si on veut dormir ailleurs que dans la voiture, ce serait intéressant de le savoir avant de présenter de nouveau notre carte à un autre amateur de chasse.

— Comment penses-tu t'y prendre ? Aujourd'hui, nous sommes vendredi. Donc, jusqu'à lundi les banques sont fermées.

— Il suffit de le demander. Appel gratuit.

Elle regarda autour d'elle et soupira, découragée.

— Je t'avertis si j'aperçois une cabine, mais ce serait étonnant d'en trouver une dans ce désert.

Ils la virent ensemble, à côté de l'église de la première bourgade qu'ils traversèrent.

1-800. Ses doigts volaient maintenant sur les touches.

▶ Si vous désirez…

Le 6. Il perçait à tous les coups le mystère des répondeurs.

▶ Si vous désirez…

Un autre 6.

▶ Merci de nous avoir appelés. Nous sommes fiers de vous compter parmi nos clients et nous espérons que vous serez satisfaits de nos services.

Veuillez patienter. Un de nos préposés vous répondra dans quelques instants...

Musique... Toujours le même air monocorde et insipide qui le faisait grincer des dents.

Musique...

Pour un vendredi soir, on ne se bousculait guère dans le village. La masse imposante de l'église écrasait les maisons voisines. En tout et pour tout, quatre fenêtres dispensaient de maigres raies de lumière. Un fin brouillard faisait naître des arcs-en-ciel circulaires autour des lampes de l'illumination publique. Une ombre inclinée franchit le parvis et s'éclipsa dans une rue adjacente. Le parking désert reluisait d'humidité. Le froid mordait leurs joues et leurs nez.

▶ Votre carte est acceptée...

Musique...

▶ Nous sommes fiers de vous compter parmi nos clients et nous espérons que vous serez satisfaits de nos services. Veuillez patienter...

Musique...

▶ Chaque fois que vous utilisez...

Musique...

— *Thank you for calling. My name is Steve Maley. What can I do for you?*

— *Portuguese, please.*

— *Hold on, please, Sir.*

Un chien s'approcha d'eux en boitillant, les yeux malheureux, le poil mouillé, la queue basse. Il s'assit sur une marche et attendit, certain que quelqu'un finirait bien par s'occuper de lui.

— Bonjour. Je m'appelle Amélia Santos. Que puis-je faire pour vous, Monsieur?

Une vraie Portugaise, la demoiselle. Son accent était tellement chargé qu'il ne comprenait qu'à grand-peine ce qu'elle disait.

— Comment puis-je connaître le solde de ma carte de crédit, Mademoiselle?

— Un instant, s'il vous plaît.

Musique...

— Monsieur Maley n'a pas accès à ce genre d'information. Il vous recommande de contacter notre filiale brésilienne. Je peux établir la communication, si vous le désirez.

Il n'avait jamais autant *voulu*, *désiré* et *souhaité* de toute sa vie. Cette fausse politesse, cette jovialité trompeuse, avait-elle un sens?

— D'accord.

— Avez-vous besoin d'autre chose, Monsieur?

— Non. Merci.

Le chien s'était couché, la tête appuyée sur ses pattes. Sa queue remuait en cadence. L'animal ne les perdait pas de vue.

▶ Si vous êtes détenteur de notre carte...

Il enfonça le 1.

▶ Merci de nous appeler. Veuillez entrer les seize chiffres de votre carte de crédit.

Seize chiffres suivirent.

▶ Pour remplacer une carte défectueuse, faites le 1.
▶ Pour...
▶ Si vous désirez parler directement avec un de nos préposés, faites le 7.

Il enfonça le 7. Son énervement et sa rage revenaient à toute allure.

▶ Merci de nous avoir appelés. Nous sommes fiers de vous compter parmi nos clients et nous espérons que vous serez satisfaits de nos services. Veuillez patienter. Un de nos préposés vous répondra dans quelques instants...

Musique. Un nouvel air qu'il ne connaissait pas, mais tout aussi irritant que les autres. À côté de lui, Maria grelottait. Ses yeux brillaient dans la pénombre. Il passa son bras libre autour de ses épaules et la serra contre lui.

— Tu ne veux pas attendre dans la voiture ?
Elle secoua énergiquement la tête.
— Je reste avec toi.

Il lui fit signe de se taire.

— Bonsoir. Je m'appelle Stella Guimarães. Que puis-je faire pour vous, Monsieur?

— Stella, pouvez-vous m'informer de combien d'argent je dispose? Je veux éviter l'embarras de voir ma carte refusée. J'ai perdu le contrôle de mes finances. Vous me comprenez?

Il se morigéna. «Mais qu'est-ce qui me prend? Je ne dois aucune explication à cette pétasse. C'est elle qui est à mon service. Merde!» Il s'attendait à être renvoyé ailleurs ou à devoir refaire tout le parcours du combattant.

— Veuillez composer encore une fois le numéro de votre carte, s'il vous plaît.

Maria se pelotonna contre sa poitrine. Son regard rencontra celui du chien. Un courant de sympathie passa aussitôt. L'animal agita sa queue de plus belle.

— Je dois m'assurer qu'il s'agit bien de vous, monsieur Ribeiro. Je vais donc vous poser quelques questions. Quel est le code postal de votre résidence?

Pas d'hésitation. Pas de perte de mémoire.

— Quel est le nom de votre épouse?

L'épouse avait cessé de trembler. Il n'hésita pas non plus.

— Quelle est votre date de naissance?

Depuis cinq jours, il vieillissait de plus en plus vite. Il traînait les pieds, voûtait le dos et ne se rasait plus. Il avait deux âges. L'officiel, qu'il fournit pour la plus grande satisfaction de son interlocutrice, et le vrai, qui pesait lourd sur ses épaules.

— Quel est le numéro de votre téléphone résidentiel?

Il s'étonna de s'en souvenir aussi facilement.

— Merci, Monsieur. Au top, veuillez composer votre code secret. Il nous arrivera chiffré. Personne n'y aura accès. Vous serez alors en contact direct avec notre ordinateur.

Une voix synthétique se fit entendre. Elle parlait très lentement, en détachant bien chaque syllabe, comme si elle prenait son interlocuteur pour un demeuré.

▶ Vo-tre-sol-de-est-de-deux-cent-tren-te-sept-ré-als-et-soi-xan-te-dix-sept-cents.

Un court silence.

▶ Vo-tre-sol-de...

— Ça va. J'ai compris, grommela-t-il.

Avant qu'ils ne partent, Maria glissa un bout de jambon entre deux morceaux de pain. D'un pas flegmatique, le chien vint dans sa direction, comme s'il attendait depuis un moment qu'on le nourrisse. Il flaira d'abord son dîner, puis le prit délicatement entre ses dents. Maria lui caressa la tête.

CHAPITRE VIII

La nuit les recouvrit d'un linceul glacé. La Voie lactée scintillait dans un ciel sans nuage. Les phares de la voiture jouaient avec des ombres étranges qui se mouvaient toutes dans le même sens. Ils roulaient sans hâte, sur une route déserte, entourés de spectres qui leur faisaient des signes, de fantômes animés d'une vie éphémère, et d'étoiles qui les surveillaient sans bienveillance.

Maria conduisait les yeux rivés sur la ligne jaune, peinte sur le goudron. La chaleur de l'habitacle l'assoupissait et elle luttait contre le sommeil. Sur le siège du passager, Lúcio dormait, la tête appuyée contre son anorak roulé en boule.

Ils avaient cherché en vain un hébergement dans les rues abandonnées du village. L'argent restant leur permettait au moins de séjourner deux ou trois nuits dans des *Bed & Breakfast* pas trop chers ou dans une chambre de motel au bord de la route. Leur destination : la capitale et, par-dessus tout, son aéroport. Ils avaient déjà traversé deux autres minuscules agglomérations sans rien trouver qui ressemblait à un hôtel. De temps en temps, un camion les croisait et les aveuglait. Mais, à part ces mastodontes, rien ne perturbait la froide sérénité de la nuit. Ils devinaient déjà, à leur droite, l'énorme ruban noir du fleuve. Il semblait aussi mort que les rochers fantasmagoriques qui parsemaient les collines, à leur gauche.

Depuis leur dernière halte, ils avaient échangé quelques phrases, sans plus, trop irrités ou trop angoissés pour parler. La radio émettait en continu des chansons country.

Lúcio ouvrit les yeux, bâilla et demanda:

— Où sommes-nous?

— Dans le noir, répondit-elle. Quelque part sous la Voie lactée. Avec un chauffeur qui en a marre de conduire. J'ai soif, j'ai faim, j'ai sommeil, et j'ai envie d'aller aux toilettes.

— Encore? Mais c'est chronique chez toi.

Il riait de bon cœur.

— Tiens le coup encore quelques minutes. On ne devrait pas tarder à arriver dans un endroit civilisé.

— Si tu me promets une nuit sans téléphone, sans banque, sans répondeur et sans carte de crédit, je suis prête à assouvir tous tes désirs, même les plus dépravés.

Ils virent l'enseigne de loin. Le motel, plus que modeste, jouxtait une station-service minable. Le veilleur de nuit dormait, assis, enroulé dans une couverture. Il ne cacha pas sa mauvaise volonté en leur remettant la clé et en leur faisant signe de se débrouiller. La chambre, dont les murs étaient nus, sentait le renfermé. L'eau chaude ne sortait que du robinet de l'évier. La douche restait tragiquement froide. Un cafard passa, collé au mur. Le lit protesta quand Maria y appuya les deux mains. Elle écarta les draps et les examina.

— Je ne sais pas à quel point c'est propre, mais au moins, il n'y a pas de taches.

Elle flaira les oreillers.

— C'est bon. On peut se coucher. C'est pas le Hilton, mais pour le prix...

⚏⚍

— Café ? demanda Maria. Petit-déjeuner, s'il vous plaît ?

Un Africain remplaçait le gardien de nuit. Il lui montra une machine jaune qui obstruait une partie du hall.

— C'est tout ? s'étonna-t-elle.

L'homme haussa les épaules. Lúcio entra. Une vague d'air froid l'accompagna. Il s'empressa de refermer la porte.

— Pas de petit-déjeuner, informa-t-elle à son mari. Rien que du café.

Elle lui montra la machine.

— Si ce truc fonctionne et si on a de la monnaie.

— *Bread* ? s'enquit Lúcio auprès de l'employé.

Un sourire ironique pointa sur le visage de ce dernier.

— *No bread*, répondit-il.

Au moins, le café était chaud et pas tellement mauvais.

Une fois la voiture chargée, Lúcio présenta sa carte à l'employé qui secoua la tête et les mains.

— *We don't take credit card,* annonça-t-il.

— Il n'accepte pas les cartes de crédit, traduisit Lúcio.

— J'avais compris.

Ils eurent beau retourner leurs poches, ils n'arrivèrent pas à réunir suffisamment d'argent pour payer leur note. Le préposé ne bougeait pas, l'air renfrogné. Lúcio saisit son dictionnaire.

Une demi-heure plus tard, péniblement, lentement, mot à mot, ils apprirent que l'établissement n'acceptait que l'argent comptant, qu'un avis dans ce sens figurait devant eux, à la réception, et qu'un autre était collé sur la porte de leur chambre, que la direction supposait que tous les voyageurs savaient lire, que Lúcio irait retirer de l'argent à un guichet automatique, que Maria resterait en garantie avec les valises, et qu'il avait intérêt à remuer ses fesses s'il ne voulait pas qu'on soit obligés de déranger la police.

*   *   *

Deux heures plus tard, ils roulaient dans la gloire d'une fin de matinée ensoleillée. Le fleuve, omniprésent, scintillait. À quelques encablures de l'autre rive, maintenant beaucoup plus proche, une barque à moteur remontait le courant. Coincée entre les eaux et des éboulis rocheux, la route taillait imperturbablement son chemin. Elle s'éloignait des villages de pêcheurs dominés par leurs églises. Elle contournait des lacs encore à moitié gelés. De temps en temps, les pierres s'écartaient pour faire place à des bouquets de pins et de bouleaux dans lesquels la route s'enfonçait comme un coin.

Le monde leur appartenait, mais ils n'en voulaient pas. Ils ne se laissaient pas distraire par la beauté sauvage des paysages, pressés d'arriver au terme de leur odyssée. Ils ne s'arrêtaient que pour se dégourdir les jambes, boire un café, manger du pain et du jambon qu'ils achetaient dans des épiceries de passage ou encore pour faire le plein d'essence et vérifier le niveau de l'huile. La plupart du temps, ils se cantonnaient dans un silence morose, sachant que les mots se transformaient vite en dispute, en rancœur, en affirmations irréparables. Ils cultivaient en silence leur frustration, tout en traversant une succession de lieux faits de grandeur et de beauté.

Ils eurent droit à un spectacle rare. Le soleil agonisait devant eux. Les jaunes passèrent au rouge flamboyant, lequel s'assombrit en un gris de plus en plus foncé. Le fleuve changeait de couleur lui aussi et semblait vouloir retenir le jour fugitif. Il rétrécissait sans arrêt. Les ailes repliées en arrière, un reflet de ciel sur leur plumage blanc, quelques oiseaux aux longs becs y plongeaient encore. La nuit remontait le fleuve, comme la barque qu'ils avaient perdue de vue.

— Encore deux heures avant d'arriver à la capitale, dit Lúcio. Je préférerais dormir quelque part au bord de la route plutôt que de chercher un hôtel, la nuit, dans une grande ville. Qu'est-ce que tu en penses ?

— Rien. Fais ce que tu veux. C'était ton idée de rouler comme un dingue toute la journée.

— Mon idée ? Qui veut prendre un avion demain et rentrer le plus vite possible au Brésil ?

— Fous-moi la paix !

— Dis, on ne va pas se disputer parce qu'on a loupé nos vacances à cause de la banque. Ce serait vraiment trop con. On engueulera Yamaguchi ensemble.

Il tourna la tête vers elle.

— Oh, non ! Cesse de pleurer.

Elle sécha ses larmes d'un revers de main.

— C'est que tu n'as pas vu comment le type de l'hôtel me regardait pendant que tu es allé chercher l'argent. Je me suis senti comme... une chose... un objet. Quelle horreur !

— Mais pourquoi ne m'as-tu rien dit ?

— Parce que tu lui aurais tapé dessus et que l'histoire se serait sans doute terminée à coups de couteau.

Le *Bed & Breakfast* se trouvait à l'extrémité d'un bourg un peu plus animé que les autres. Ils croisèrent quelques voitures. Des gens passaient lentement devant les rares vitrines illuminées. Les propriétaires acceptaient le paiement par carte. Le petit-déjeuner était inclus dans le prix. La chambre sentait bon la lavande. De l'eau bouillante jaillissait du pommeau de la douche. Dans les rayons d'une bibliothèque, qui tapissait les murs de la salle de séjour, ils découvrirent un livre d'art consacré aux villes baroques brésiliennes.

La fenêtre de leur chambre donnait sur le fleuve, qui butait inlassablement sur les pierres de la rive et remplissait la nuit de sons humides.

Le rouge dominait la décoration de l'agence de location. Sur les fauteuils, les dépliants, les vêtements, les stylos, les tables, tous les tons de rouge se côtoyaient dans une même enceinte. Un employé remplissait un formulaire électronique pour un couple de jeunes gens qui se souriaient bêtement et hochaient la tête à chaque question. Une imprimante éjecta deux feuilles qu'ils signèrent, sans les lire. Pendue au mur, une affiche vantait les qualités de la toute nouvelle Focus et sa faible consommation d'essence. Évidemment, *Eagle-Rent-A-Car* avait déjà cette petite merveille technologique à la disposition de ses clients.

Ils prirent place devant l'autre employé et lui remirent les clés et les documents du véhicule. Il leur posa une question à laquelle Lúcio répondit par son sempiternel «*speak Portuguese, please?*» Négation accompagnée d'un grand sourire. L'homme leur fit signe d'attendre, se leva, et disparut derrière une porte vitrée. Il revint avec une femme vêtue elle aussi de rouge, courtaude, au visage avenant, entre deux âges.

— Vous êtes Portugais ? demanda-t-elle.

— Non. Brésiliens.

— Je connais bien le Brésil. — Soupir entendu. — J'ai aidé à y monter notre première filiale à Rio de Janeiro. De la chaleur toute l'année ! De la musique ! Copacabana. Les plages sans fin, un peu polluées, mais enfin ! Dommage qu'il y ait autant de favelas.

Les joues de Maria se coloraient de rose. Lúcio se contenta d'acquiescer d'un signe de tête. « Elle va nous parler du café, de la samba, du foot et de l'amant qu'elle s'est offert », pensa-t-il.

— Mais je cause... Que puis-je faire pour vous ?

— Nous venons vous remettre la voiture. Le plein est fait. Pas d'égratignure. Pas de problème.

— J'espère bien qu'elle ne vous a pas laissés tomber. Vous savez, nos révisions sont très minutieuses, mais de temps en temps une panne arrive. Évidemment, dans ce cas, où que notre client se trouve, nous lui payons l'hôtel jusqu'à ce qu'il reçoive un autre véhicule.

Lúcio fit un signe de main.

— Non, il ne nous est rien arrivé, mais...

La femme coupa sa phrase. Elle considérait l'écran de son ordinateur en balançant la tête.

— Vous la remettez quatre jours avant la date prévue. Vous n'êtes pas satisfait ? Nous pouvons vous la changer, vous savez. Sans frais supplémentaires.

Elle leur fit un clin d'œil.

— Je peux vous en obtenir une de catégorie supérieure pour le même prix.

Ils refusèrent d'une seule voix.

— Au contraire. Aucune plainte. Nous avons simplement quelques problèmes inattendus à résoudre et nous sommes obligés d'avancer la date de notre retour de quelques jours.

— Rien de grave, j'espère?

— Non. Des problèmes familiaux. Mon père est déjà assez vieux. Vous voyez ce que je veux dire?

Elle pianota sur son clavier avec sa main gauche, tout en lisant le contrat. Elle attendit quelques secondes.

— Voilà. Tout est en règle. L'argent a été débloqué.

Lúcio serra la main de Maria dans la sienne.

— De quel argent parlez-vous? demanda-t-il d'une voix blanche.

— De la valeur de la location, évidemment.

— Si j'ai bien compris, *Eagle-Rent-A-Car* fait quand même bloquer l'argent de la location. C'est la première information positive que je reçois ces derniers jours.

— Je crains de ne pas vous comprendre.

— Hier, ma femme a téléphoné pour demander si vous aviez fait bloquer la somme qu'on vous devait. La personne qui a répondu, lui a affirmé catégoriquement que votre firme n'adoptait ni n'approuvait ce genre de pratique.

— Elle avait tout à fait raison. Nous nous contentons à peine d'aviser l'administrateur de votre carte qui communique alors avec votre banque. En général, si vous vous servez fréquemment de votre carte, le gérant ne fait absolument rien. Si vos mouvements bancaires sont insuffisants, il fait bloquer la valeur de la location pour vous éviter des ennuis.

— Donc, c'est bien le salaud qui nous a fait le coup.

— Pardon ?

— Rien. Je pensais à haute voix.

— Vous avez quand même droit à une ristourne puisque vous remettez la voiture avant la date prévue. Ce n'est pas grand-chose, mais ça vous permettra d'offrir un bon dîner à Madame. Comment voulez-vous recevoir cet argent ? Virement sur votre compte brésilien ou en liquide, tout de suite ?

Ils sortirent de l'agence, les jambes flageolantes.

— Ça alors, dit Lúcio. Moi qui m'attendais à nous voir derrière les barreaux. Non seulement on ne doit rien, mais on se retrouve avec un peu de cash.

— Dans le fond, Yamaguchi savait ce qu'il faisait en bloquant l'argent. Nous l'aurions dépensé sans même nous en rendre compte.

— Pourquoi n'a-t-il pas dit ça immédiatement ? Et puis, il y a le reste. Huit mille réals. Où sont-ils passés ?

— Je n'en sais rien. On finira bien par le découvrir. En attendant, essayons de trouver l'adresse de la compagnie d'aviation. Ce serait vraiment chouette si on pouvait rentrer demain. Peut-être qu'eux aussi nous remettront quelques dollars.

Devant l'air décidé de Maria, Lúcio ne trouva rien à redire.

— Le seul moyen de vous embarquer tout de suite pour le Brésil suppose une escale en Afrique, à Dakar pour être plus précis. Comme vous voyagez en classe économique, et que vous avez décidé d'avancer la date de votre retour, notre compagnie ne se chargera pas de vos frais d'hébergement et d'alimentation pendant l'escale. Elle ne pourra, en aucun cas être tenue responsable des retards éventuels des compagnies africaines, ni de votre sécurité en cas de problèmes politiques. Vous me comprenez, n'est-ce pas?

Les données du moniteur défilaient dans les lunettes de la femme, habillée en hôtesse de l'air.

— Tous nos autres vols sont complets, avec des listes d'attente qui ne vous laissent aucune chance d'obtenir deux sièges pour Rio ou São Paulo avant la date prévue de votre retour.

— Parlez-moi de cette escale africaine. Combien d'heures devrons-nous attendre?

Maria avait le visage fermé, inexpressif. Lúcio se demandait s'il aimait cette femme autoritaire qui l'accompagnait depuis plusieurs jours.

— Au moins vingt-quatre heures, Madame. Et je ne puis vous donner aucune garantie que vous trouverez de la place dans l'avion suivant.

Elle les laissa digérer ces mots, et reprit:

— Attendre pour attendre, si j'étais à votre place, je préférerais le faire ici. L'idée de me retrouver coincée dans un pays africain pour un temps indéterminé... Elle n'acheva pas sa phrase.

— Quelle solution nous proposez-vous?

— Il y en a trois. — Elle compta sur ses doigts. — Ou vous partez pour l'Afrique dans — elle consulta une grande horloge murale — six heures. Vous avez aussi le choix de camper dans notre aéroport international avec une très mince possibilité d'obtenir deux places sur un vol direct. Finalement, vous attendez le vol prévu en me laissant le numéro de téléphone de votre hôtel. Je vous promets de vous appeler si j'obtiens quelque chose. C'est à vous de décider, Madame.

Maria se mordit les lèvres.

— Je crois que nous n'avons pas tellement le choix, finit-elle par murmurer. Nous attendrons votre coup de fil. Ou plutôt, nous vous téléphonerons. Nous ne savons pas.

Chaque territoire possédait ses limites: un réverbère, un croisement, un coin de rue, les alentours d'un bistro. Les femmes y marchaient de long en large, sans perdre leurs clients de vue. La plupart des hommes chassaient en solitaire. Parfois, ils formaient des petits groupes où l'on s'encourageait mutuellement à coups de remarques grossières et de rires gras. Des voitures passaient au ralenti, frôlant le trottoir. Quand l'une d'entre elles s'arrêtait, une femme s'inclinait vers la fenêtre du passager qui s'abaissait de quelques centimètres. Quelques mots s'échangeaient, après quoi, la femme se redressait et s'en allait méprisante, ou encore elle entrait dans l'auto qui démarrait rapidement. Les piétons se baladaient les mains dans les poches, appréciaient les jambes et les seins d'un coup d'œil hypocrite, passaient outre, revenaient sur leurs pas, hésitaient, tergiversaient, choisissaient, jusqu'au moment où leur cible prenait l'initiative de les aborder et les entraîner vers un des nombreux hôtels qui bordaient la rue.

— Le voilà!

Maria montrait du doigt un bâtiment de deux étages. Quelques lumières clignotaient autour du nom de l'hôtel qui proposait ses chambres à l'heure ou pour toute une nuit, à prix défiant toute concurrence. Une femme brune, très jeune, fumait une cigarette sous la marquise qui surplombait la porte. Elle s'écarta lentement pour les laisser entrer, avec un regard appuyé, destiné à Lúcio.

— Si tu ne fais pas attention aux bruits des autres chambres, c'est très supportable.

— Je sais. J'y ai déjà passé une nuit avec toi.

La chambre n'avait rien de particulier, hormis une cabine de douche bleue en fibre de verre et un grand miroir fixé au plafond. La porte se refermait à peine qu'elle écrasait déjà son corps contre le sien.

— Viens, supplia-t-elle en l'entraînant vers le lit.

— Je croyais que tu ne m'aimais plus, souffla-t-il entre deux baisers. Ou est-ce la vue de toutes ces travailleuses du croupion qui t'excite?

— Ne sois pas idiot, gémit-elle.

Elle cria quand il la pénétra. Elle voulait que les couples, qui baisaient dans les chambres voisines, l'entendent. Elle voulait que d'autres mains caressent son corps. Elle désirait d'autres sexes entre ses mains, dans sa bouche, dans son anus. L'orgasme vint comme un éclair. Quand il se détacha d'elle et qu'il se laissa retomber à ses côtés avec un soupir satisfait, elle eut honte d'elle-même, de ses pensées, de cette anxiété qui ne la quittait plus.

Lúcio regardait, dans le miroir, le corps svelte de Maria. Elle était couchée sur le dos, les yeux fermés. Même dans cette position, ses seins gardaient leur forme. La touffe de poils noirs qui recouvrait son pubis contrastait avec sa peau brune et se prolongeait vers le nombril par une délicate strie sombre. Il observa son propre corps. Sa peau était plus foncée que celle de sa femme. Le voyage lui faisait du bien. Il avait perdu les deux ou trois kilos de graisse qui lui conféraient l'aspect bedonnant d'un bourgeois de faubourg. Mais la réalité fit disparaître les images érotiques renvoyées par le plafond et calma l'ardeur qui recommençait déjà à se manifester.

— Il faut que je vérifie de nouveau de combien d'argent nous disposons, souffla-t-il à son oreille.

Il tressaillit quand la main de Maria se posa sur son ventre.

— Maintenant ? chuchota-t-elle.

Il n'eut guère besoin de répondre.

Les prostituées s'abritaient tant bien que mal dans les encoignures des portes ou sous les auvents, trop étroits pour empêcher le vent de les atteindre de plein fouet. Elles fumaient leurs cigarettes sans rien dire, contemplant, résignées, les aspérités du trottoir qu'elles maudissaient. Les braises illuminaient fugacement leurs visages impassibles, trop fardés. Leurs clients, mains en poches, cols relevés, se débattaient contre les bourrasques qui secouaient les branches des érables, couvertes de bourgeons, sans pour autant perdre leur expression hypocrite de bons bourgeois, bien mariés, qui veulent faire avec une pute ce qu'ils sont gênés de proposer à leur femme. Une voiture de police passa au ralenti, dans une débauche de lumières rouges et bleues.

Maria repéra les téléphones dans le hall d'un cinéma porno qui exhibait un film au nom modeste pour l'endroit : *L'Amant*. La porte empêchait le bruit de la rue et le sifflement du vent de se faire entendre. Le hall était large avec, à gauche, une caisse adjacente à la porte des toilettes. Un homme y lisait un journal. Au fond, de lourds rideaux masquaient l'entrée de la salle de projection. Sur la droite, des affiches érotiques recouvraient un mur, le long duquel courait un banc.

Quand ils entrèrent, le caissier leva les yeux, puis se replongea dans sa lecture lorsqu'il s'aperçut qu'ils n'étaient pas intéressés par la séance. Sous l'affiche d'une infirmière à moitié nue et entourée de médecins lubriques, sodomisée dans ce qui semblait être une salle de garde, deux téléphones attendaient.

La carte de Maria était neuve. Elle gratta la zone noire avec son ongle et fit apparaître le code. Elle composa le numéro de la compagnie.

▶ *Enter your code number, now.*

La voix ne changeait donc jamais, même si les cartes appartenaient à des compagnies différentes? Une seule femme répondait-elle, des milliers de fois par jour, à toute l'humanité? Froide, sensuelle et efficace. Les *Now! Now! Now!* tambourinaient sans arrêt sous son crâne.

▶ *Enter your destination number, now.*

Existait-il réellement un écho ou était-ce son imagination qui répétait sans cesse «*Now! Now! Now*»?

Un chauve, l'air hagard, les vêtements en piteux état, se précipita plus qu'il n'entra dans le hall et s'arrêta, interloqué, en les voyant. Il détourna la tête, comme s'il craignait d'être reconnu, fila droit sur la caisse, paya et disparut derrière les rideaux.

▶ Merci de nous avoir appelés...

De l'autre côté du hall, bien en face de Maria, une femme, sur une affiche, glissait une main entre ses cuisses, l'air extasié. Un minuscule carré censurait la pointe de ses doigts et une toute petite partie de son pubis. Les poils, soigneusement rasés, dessinaient un petit triangle noir, duquel la Brésilienne ne parvenait pas à détacher son regard.

▶ Si vous possédez un compte dans notre établissement...

Les seins devaient être pleins de silicone. Ils étaient trop beaux, trop grands, trop ronds, trop roses, trop fermes. Malgré la position de la femme, rien ne semblait devoir perturber leur forme parfaite.

▶ Merci de nous avoir appelés. Veuillez entrer les seize chiffres de votre carte de crédit.

Maria se demanda si l'extase qu'exprimaient les traits de l'actrice était réelle. Qu'avait donc découvert cette femme au corps parfait qui échappait toujours à ses propres penchants? Que lui fallait-il donc faire pour atteindre cette intensité de plaisir qui se dérobait sans cesse?

▶ Veuillez composer votre code secret de huit chiffres.

Des cheveux blonds encadraient ce visage d'un ovale parfait. Elle avait la tête rejetée en arrière et ses yeux clos exacerbaient l'idée de plaisir, de jouissance, d'orgasme.

▶ Si vous désirez... faites le 1.
▶ Si vous désirez... faites le 2.

▶ Si vous désirez... faites le 3.

▶ Si vous désirez connaître l'état des dépenses de votre carte de crédit, faites le 4.

Elle s'appuyait d'une main aux ongles couleur de rubis sur le dossier d'une chaise et elle projetait en avant son ventre plat. Elle s'offrait à tous ceux qui la désiraient, sans aucune limite, sans aucun frein, comme elle-même souhaitait pouvoir le faire. Sans inhibition, sans gêne, sans retenue.

▶ Veuillez entrer les seize chiffres de votre carte de crédit.

Elle se masturbait debout, sans se presser. Le petit carré collé par le censeur ne faisait qu'augmenter l'impression d'abandon et de volupté qu'elle exprimait.

▶ Veuillez composer le code secret de six chiffres de votre carte de crédit.

Maria sentait des fourmillements dans ses mains et ses pieds. Une sensation de chaleur s'empara de son ventre. L'air se fit rare et l'obligea à inspirer plusieurs fois, à fond. Que fallait-il qu'elle fasse pour s'offrir ainsi à tous ceux qui désireraient la prendre?

▶ Le solde de vos comptes pour le mois courant est de quatre-vingt-dix-neuf réals et quinze cents. Somme bloquée : huit mille sept cent quatre réals et vingt-sept cents.

Un couple écarta les tentures. Un vieux, très pâle, les yeux brillants, boutonnait son pantalon. Un adolescent l'accompagnait, presque un enfant, maigre, osseux, le regard sournois. Quand ils se rendirent compte de la présence du couple brésilien, ils hésitèrent. Mais le désir, qui se lisait sur le visage du vieux, était trop pressant. Il entraîna son jeune compagnon vers les toilettes où ils s'engouffrèrent.

Maria tendit le combiné à son mari.

— Tiens, écoute, dit-elle d'une voix mal assurée. On n'a toujours pas grand-chose pour se débrouiller.

Pendant que Lúcio écoutait la répétition du message, Maria ne pouvait s'empêcher d'imaginer ce qui se passait dans la salle de projection. Elle n'avait jamais assisté à un film porno. Elle n'aurait jamais osé en louer un au vidéoclub de son quartier, pourtant bien fourni. Demander à Lúcio de le faire ? L'idée ne lui serait même pas passée par la tête. Mais ce cinéma vieillot, avec ses affiches vulgaires et ses spectateurs en quête de plaisirs troubles, l'excitait. Rien qu'un rideau rouge la séparait de ses fantasmes. Des sons indistincts, étouffés, arrivaient à ses oreilles. Des inconnus déboutonnaient leurs braguettes dans le noir. Des mains s'emparaient d'elle, la caressaient, s'insinuaient entre ses jambes, tripotaient ses seins. Quand le film se terminait, elle se retrouvait nue dans la lumière tamisée des appliques. Tous les autres spectateurs étaient des hommes dont elle ne voyait que les sexes durcis. Ils la possédaient d'abord à tour de rôle, puis par deux, puis par trois. Elle finissait par disparaître sous un enchevêtrement de corps suants.

— Tu dors debout?

Assise sur le banc, perdue dans un univers érotique qui se dévoilait lentement au fil de ces journées chargées d'angoisse, elle regardait fixement les rideaux. Elle sursauta.

— Hein? Qu'est-ce que tu dis?

— Tu dors les yeux ouverts, maintenant?

Et si elle lui disait qu'elle avait envie de voir le film? Quelle serait sa réaction? La rejetterait-il, dégoûté par sa dépravation? La battrait-il pour faire sortir de son corps les démons qui la hantaient? Il ne lui vint pas à l'esprit qu'il aurait pu dire simplement: «Allons-y.» À aucun moment elle ne supposa que lui aussi pouvait aimer ce genre de spectacle. Elle apprenait vite à mentir.

— Non. Je me demandais ce que nous allions faire sans argent pendant plus d'une semaine.

Elle se passa la paume de la main sur son front moite.

— Parce que nous n'avons pas d'argent, n'est-ce pas?

— À peu près trente-cinq dollars, plus ce que j'ai reçu de l'agence. C'est serré pour neuf nuits. À moins que la bonne femme de la compagnie trouve un moyen de nous embarquer immédiatement!

En réalité, elle se foutait de l'argent. Elle ne pensait qu'à franchir le rideau et à s'abandonner aux mains qui l'attendaient avec avidité.

— Ne restons pas ici, dit-elle.

— Je pense à une autre solution.

Lúcio aidait Maria à défaire une valise. Elle releva la tête.

— Laquelle ? Je m'en voudrais de te décourager, mais jusqu'à présent toutes tes tentatives de dépannage sont tombées à l'eau.

— Je pense au consulat brésilien. Ces gens-là existent, entre autres, pour aider leurs ressortissants à sortir d'un mauvais pas. Ou ils nous prêtent un peu d'argent, ou ils usent de leur influence pour devancer notre retour au Brésil.

Son expression fut suffisamment éloquente pour lui éviter de dire de vive voix qu'elle n'en croyait pas un mot.

Il déplia une carte de la ville sur le lit.

— Nous sommes ici et — il consulta l'index — le consulat se trouve de ce côté-là. J'y vais demain matin. Pendant ce temps-là, tu visites... hem... un musée, par exemple. Ça t'abritera du froid. On s'y retrouve vers midi et on casse la croûte quelque part.

— Fast-food ? demanda-t-elle découragée.

— Fast-food, répondit-il en détournant la tête. Ou supermarché. Comme tu veux !

Lúcio l'embrassa et, sur une dernière recommandation, referma la porte derrière lui. Maria se recoucha, surveillée par le miroir du plafond. Les heures de solitude qui s'étendaient devant elle la laissaient pantelante. Il était trop tôt pour le musée, trop tard, déjà, pour accompagner son mari. Elle chassa les scènes qui se déroulaient dans sa tête. Elle ne pouvait pas... Elle désirait... Elle se leva d'un bond, enfila ses vêtements et, sans hésiter, quitta l'hôtel. Elle se mit à marcher lentement, au bord du trottoir, dans un jour gris et froid. Elle ne savait pas à quoi s'attendre, mais elle l'attendait avec impatience.

⚏⚏

Les armes de la République fédérale du Brésil décoraient la façade austère du bâtiment, de style victorien, que rien d'autre ne distinguait des maisons voisines. Il enfonça le bouton de la sonnette. Protégée par la gouttière, une caméra de surveillance pivota et se fixa sur lui. Avec un déclic sourd, la porte s'ouvrit.

Aux murs du salon, reconverti en salle d'attente, pendaient des affiches de paysages typiquement brésiliens. Chutes d'eau, forêts vierges, mégalopoles ; un entrepôt débordant de sacs de café et une église baroque. Une grande carte routière du pays côtoyait une affiche qui invitait les hommes d'affaires d'envergure à investir leur argent dans cette nation jeune, en plein essor, dont l'industrie et l'agriculture étaient garantes de bons profits. Sur une table basse, entourée de quatre fauteuils, la présence de journaux familiers lui réchauffa le cœur.

Derrière une table, une jeune femme sympathique lui posa une question dans la langue locale.

— Vous parlez portugais? demanda-t-il.

— Mais bien sûr! Vous êtes Brésilien, je suppose?

Il l'aurait embrassée. Elle l'invita à s'asseoir.

— Vous êtes en vacances ou vous travaillez ici?

— Je suis en vacances.

Son explication ne dura pas plus de cinq minutes. Elle fut nette, claire, sans fioriture.

— Si j'ai bien compris, dit-elle, pour un motif indépendant de votre volonté, vous vous êtes retrouvés, vous et votre femme, sans un sou, piégés dans ce pays. Et vous estimez que le consulat peut vous aider.

— Oui. En fin de compte, nous sommes des citoyens brésiliens. Nous payons nos impôts, ajouta-t-il avec un grand sourire.

— Personne ne le conteste, mais je crains que cela ne soit pas suffisant. Si vous voulez bien attendre. Je vais voir ce qu'on peut faire pour vous. Il y a de l'eau et du café dans le couloir.

Le journal datait de la veille. Il s'imprégna des nouvelles de cet univers qui parlait sa langue, comme un ivrogne s'imbibe de vin, comme un drogué s'enfonce, en soupirant de soulagement, une aiguille dans le bras. Une fois les premiers grands titres lus, il était déjà de retour chez lui. On assassinait des gens à tour de bras dans les grandes villes, les barons de la drogue y imposaient le couvre-feu, la politique sentait de plus en plus mauvais, le dragon de l'inflation relevait la tête, le manque d'emplois devenait critique. Mais, de tout ça, il s'en branlait ! Ça se passait dans sa maison, une maison en désordre, peut-être, une pauvre maison du tiers-monde, mais qui lui appartenait et qu'il partageait avec des millions d'autres personnes qui vivaient sous la protection de la Croix du Sud.

— Un de nos attachés va vous recevoir dans un instant, monsieur Ribeiro.

Son cerveau enregistra, ravi, ces mots dont les sons enchaînés ne se transformaient pas en bruits dépourvus de sens.

— Merci beaucoup, répondit-il.

⚏⚏

Malgré l'heure matinale, deux femmes travaillaient déjà. Le visage rougi par le froid, le dos courbé, elles grillaient une cigarette en se protégeant tant bien que mal du vent mordant. Des rides entouraient leurs paupières gonflées et leurs lèvres gercées. Des travailleuses âgées, obligées de se vendre tôt le matin, sans la concurrence des jeunettes toutes neuves, tout juste arrivées des pays de l'Est, encore au lit avec leur maquereau. Maria passa outre. Emmitouflée dans son manteau, elle hésitait. Des idées folles naissaient dans sa tête. Tout son corps vibrait d'une énergie contenue. Elle passa devant le cinéma fermé. Deux grilles cadenassées protégeaient les affiches externes. Elle s'arrêta. Au-delà des images érotiques plaquées contre le mur,

228

derrière les portes fermées, flottaient les rideaux rouges et leur mystère. Il suffisait de les écarter pour pénétrer dans un univers dont l'évocation lui coupait le souffle.

De plus en plus nombreux, des passants évoluaient autour d'elle. Il ne s'agissait pour l'instant que de cadres, d'ouvriers, d'employés, de fonctionnaires, pour qui cette rue ne représentait qu'un lieu de passage et qui considéraient les femmes plutôt comme décoration que comme objets de désirs. Personne ne draguait personne. Le sommeil était encore trop proche pour laisser les ardeurs de la chair se réveiller. Elle poursuivit son lent cheminement, troublée par la subite connaissance qu'elle prenait des exigences de son corps.

Une voiture passa à sa hauteur et s'arrêta. Le conducteur se pencha, descendit la glace, et lui demanda quelque chose. Ses membres se transformèrent en gelée. Elle résista à l'envie d'ouvrir la porte et de se laisser choir sur le siège du passager. L'homme répéta sa requête en passant une main sur son pantalon. Elle garda la tête droite et accéléra le pas. L'engin démarra et se perdit dans la circulation.

Lúcio terminait la lecture de son troisième journal, une lecture attentive, complète, depuis les gros titres jusqu'aux faits divers. Son voyage prenait tout à coup une allure d'exil. La perspective d'être obligé de rester encore une semaine dans cette glacière lui soulevait l'estomac. Il en avait marre du froid, des vêtements lourds et incommodes, de cette langue qui le transformait en parfait idiot, de ces gens qui le regardaient, à la fois intrigués et amusés par son air exotique.

Pendant toute la matinée, plusieurs personnes, des hommes d'affaires pour la plupart, des étudiants, des voyageurs, avaient été reçus par les divers services consulaires. De temps en temps, il tournait la tête vers la secrétaire qui l'ignorait ostensiblement. Midi approchait. L'affluence se tarissait peu à peu.

— Monsieur Ribeiro, notre attaché commercial vous recevra maintenant.

— L'attaché commercial?

— Oui, c'est la seule personne disponible pour l'instant. Votre cas sort plutôt de l'ordinaire et, franchement, poursuivit-il sèchement, je ne vois pas comment le consulat peut vous venir en aide.

L'attaché commercial donnait l'impression d'être un fonctionnaire en fin de carrière, qui tue son temps jusqu'à la retraite et ne veut surtout pas être emmerdé par les problèmes des autres. Il ne daigna pas se lever pour serrer la main de Lúcio et, d'un geste du menton, lui assigna une des trois chaises placées devant son bureau. Au-dessus d'un classeur métallique, le portrait austère du président de la République dominait la scène. L'homme parlait du bout des lèvres, les yeux mi-clos. Ses mains, posées à plat sur le bureau, ne bougeaient pas.

— Madame Cortes m'a vaguement mis au courant de votre problème. Ayez l'obligeance de m'éclairer davantage. Je crains de ne pas avoir bien compris. Je vous prie toutefois d'être bref. J'ai un rendez-vous important dans une quinzaine de minutes.

Lúcio, déconcerté par la froideur de l'accueil, réussit à résumer son histoire en quelques phrases.

— Quelle est la raison de votre voyage, monsieur Ribeiro ?

Une moue méprisante se formait sur le visage du diplomate.

— Vacances, répondit Lúcio. Tourisme.

— C'est votre premier voyage à l'étranger, monsieur Ribeiro ? Vous n'êtes jamais sorti du Brésil auparavant ?

Il était sous-entendu que voyager n'était pas à la portée du premier venu.

— Oui.

— Vous parlez la langue locale ?

— Non. C'est justement un de mes problèmes. « Qu'est-ce qui me prend encore de vouloir me justifier, principalement devant ce crétin, pensa-t-il. » Mais je ne vois pas en quoi mes dons linguistiques importent. Je vous demande simplement de m'offrir la possibilité de rentrer tout de suite au pays.

Le regard du fonctionnaire était devenu arrogant, un peu snob, tout comme sa voix.

— Je peux vous comprendre. Ce qui m'amène à vous demander pourquoi vous n'avez pas choisi une destination intérieure ? Notre pays est suffisamment grand pour satisfaire votre soif de nouveaux horizons. Je suis certain que vous n'en connaissez pas toutes les facettes.

— En réalité, il s'agit d'une promesse faite à ma femme. Nous ne sommes pas des gens riches et nous avons économisé pendant des années pour faire ce voyage.

L'attaché commercial l'agaçait et le mettait mal à l'aise en même temps. Il se sentait fautif, sans trop savoir pourquoi.

— Vous n'êtes pas sans connaître les difficultés économiques par lesquelles passe notre pays, monsieur Ribeiro. Balance commerciale déficitaire, manque de devises fortes, etc.

Lúcio secoua la tête en se demandant où l'autre voulait en venir.

— Si tous nos concitoyens, qui voyagent à l'extérieur, dépensaient leurs dollars au Brésil, nous arriverions à payer, du moins en partie, notre fameuse dette externe. Le FMI *, vous savez ce que c'est, je suppose.

— Je sais ce que c'est.

Lúcio sentait l'impatience le gagner.

— Laissez-moi d'abord vous dire que personne ne me demande mon avis lorsque vient le moment de contracter de nouvelles dettes au nom de la nation. Ensuite, si nos politiciens se remplissaient un peu moins les poches pendant leurs mandats, si les corrompus étaient obligés de rendre l'argent qu'ils détournent, et si la police compliquait un peu plus le lavage de l'argent de la drogue, notre situation économique serait encore bien meilleure. Je

* Fonds monétaire international.

crois que mes dépenses à l'étranger ne représentent pas grand-chose devant la mise à sac institutionnalisée de notre pays. Vous ne trouvez pas?

Lúcio avait visé juste. L'autre perdit un peu de sa raideur. Ses doigts se mirent à tambouriner nerveusement sur le bureau.

— Ces gens ne dérangent pas les fonctionnaires consulaires en demandant qu'on les aide, siffla-t-il entre ses dents.

— Mais, dites-le tout de suite si vous êtes d'accord avec la corruption! Pour qui vous prenez-vous? Vous n'êtes qu'un vulgaire fonctionnaire de l'état! Ce sont des gens comme moi qui payent votre salaire. Les autres se foutent pas mal d'un minable, assis derrière son bureau, qui passe son temps à cacheter des documents dépourvus d'importance.

L'attaché le toisa froidement.

— Je vous prie de ne pas me faire un cours de civisme. C'est vous qui avez besoin d'argent. Pas moi!

Lúcio serra les dents. Son vis-à-vis faisait partie du système et il était vain de vouloir discuter avec lui. C'était pire qu'avec un répondeur. Il s'obligea à parler sans animosité.

— Ayez au moins la bonté de me suggérer quelque chose!

— Mon cher Monsieur, personne ne vous a obligé à prendre l'avion pour venir échouer ici. Vous n'êtes ni étudiant, ni homme d'affaires. Le consulat ne saurait être tenu responsable des imprudences commises par nos touristes. Ce serait trop facile. On dépense un peu trop, on sort de son budget en monnaie forte, on se retrouve sans un rond. Pas de problème. Le consulat est à votre service. Trop simple, mon cher Monsieur ! Un voyage, ça s'organise. Ça ne s'improvise pas.

Lúcio réussit à garder son sang-froid.

— Voyons, dit-il. Vous avez certainement une idée. Le consulat peut m'avancer un peu d'argent... que je rembourserais avec intérêts.

L'attaché éclata d'un rire méchant. La situation du pauvre mec, assis devant lui, déridait sa matinée.

— Vous nous confondez avec une banque.

— Mais encore...

— C'est non. Les services consulaires n'ont pas été créés pour résoudre ce genre de situation.

Il regarda ostensiblement sa montre.

— Je m'excuse mais je dois vous quitter, ajouta-t-il.

Lúcio se leva et posa ses mains sur le bureau qui le séparait du fonctionnaire. Il pencha son corps en avant.

— Je suppose que vous devez la position que vous occupez à un de ces politiciens que je viens de citer, et cela malgré votre évidente incompétence. C'est sans doute pour ça que vous les défendez au lieu d'aider vos concitoyens en difficulté. Ça vous amuse de me voir patauger dans la merde, hein ?

D'un revers de main, il balaya les papiers et les objets qui se trouvaient devant lui. Un cendrier s'écrasa par terre en entraînant un petit drapeau vert et jaune. Lúcio agrippa la cravate de l'homme et le tira brusquement vers lui.

— Enfant de salaud, éructa-t-il, en tordant de plus en plus fort le morceau de tissus enroulé dans sa main ! Fils de pute ! Tu te prends pour qui, tas de merde ?

L'homme se débattait, mais il ne faisait pas le poids. Arraché de son fauteuil, couché sur le bureau, il n'arrivait pas à se libérer de son assaillant. Il manquait déjà d'air quand la porte s'ouvrit à toute volée. Le service de sécurité ne réussit qu'à grand-peine à les séparer. Lúcio se retrouva par terre, face contre le tapis, les bras tordus derrière le dos. La police arriva cinq minutes plus tard.

La rue se terminait sur un grand boulevard bien dégagé. Partout, des pousses vertes déroulaient déjà des feuilles minuscules. Dans les parterres centraux s'élevaient les longues tiges des tulipes. Un flux constant de voitures circulait dans les deux sens. Le monde de la prostitution cessait abruptement, intimidé sans doute par le grand espace ouvert.

Maria tourna à gauche pour présenter son dos au vent qui s'acharnait sur ses vêtements. Une voix intérieure lui soufflait de retourner sur ses pas, d'attendre l'ouverture du cinéma et de ne plus hésiter. L'idée de remonter la rue réchauffait son corps, en même temps qu'elle la laissait avec une étrange sensation de faiblesse. Des images de femmes et d'hommes nus passaient sans cesse dans sa tête. Elle revoyait les affiches de l'entrée et les enrichissait de ses propres rêves érotiques.

Au fur et à mesure qu'elle s'éloignait, la tentation faiblissait, comme l'agressivité du chien diminue, au fur et à mesure qu'il s'éloigne du centre de son territoire. Le métro l'avala et la recracha juste devant le musée.

Trois oriflammes pendaient contre la façade de pierres de l'immeuble. Elles annonçaient une exposition temporaire de gravures de Picasso, dont le prix d'entrée était nettement au-dessus de ses moyens. Comme à peu près tout ce que cette ville avait à lui offrir, songea-t-elle. D'ailleurs, Picasso ne lui disait rien et elle n'aima guère les abstractions qui décoraient les étendards ondulants. Elle pensa au sexe sur l'écran du... Elle s'empressa de pousser la porte.

Les collections permanentes du musée étaient ouvertes au public. Elle se décida pour une galerie de peintres impressionnistes. La richesse des couleurs ne l'attirait pas autant que les nus peints en positions érotiques. «Pourquoi toujours des femmes?» se demanda-t-elle en cherchant vainement un homme. Elle s'attarda devant une représentation de femmes à leur toilette par Degas. Son imagination la transporta encore une fois puis elle retourna, songeuse, à la réception. Manteau sur les genoux, elle s'assit sur un banc, face à l'entrée.

Vers midi, le flux des visiteurs diminua. Un groupe du troisième âge, conduit par un guide porteur d'un parapluie, provoqua un joyeux charivari.

Deux fillettes émerveillées écoutaient leur père leur raconter une histoire, tandis que, main dans la main, ils se dirigeaient vers la sortie. Il ne resta bientôt plus que les trois préposés à l'accueil et deux gardiens.

À une heure, son ventre émit quelques borborygmes de protestation. Sa bouche se remplissait de salive à la simple évocation d'une tranche de pain. À deux heures, une classe d'écoliers remplit le grand salon d'une agitation chaleureuse. Son estomac ne protestait plus. Il lui faisait mal. À trois heures, plusieurs personnes se réunirent non loin de son banc. Certaines ne semblaient pas trop emballées par leur visite et gesticulaient en expliquant leur point de vue. Maria avait envie de pleurer. Comme autrefois.

⸻

Elle avait alors huit ans et son père n'arrivait toujours pas. Perchée sur une chaise, le dos droit, une longue jupe cachant ses jambes, les cheveux pris dans une épaisse torsade qui retombait dans son dos, la blouse boutonnée jusqu'au cou, elle sentait l'angoisse liquéfier son corps. Elle attendait qu'il arrive. Autour d'elle, des gens allaient et venaient, lui adressaient parfois la parole, lui caressaient même les cheveux lorsqu'ils voyaient ses yeux humides. Contrairement à ses habitudes, son père était en retard. Comme elle le faisait toujours, quand il le lui ordonnait, elle restait assise, en l'attendant, jusqu'à ce que sa main se pose sur son épaule ou que sa voix éteigne tous les autres bruits. L'attente n'était jamais bien longue et il la faisait patienter en lui offrant une crème glacée ou un nouvel album de bandes dessinées. Jamais il ne l'avait fait attendre aussi longtemps.

Elle ne se sentait pas bien. Quand il s'éloignait de quelques pas, pour acheter des cigarettes ou le journal, personne ne la regardait, personne ne lui adressait la parole. Tandis que, maintenant, elle constituait le centre d'attention de tous ces gens vêtus de noir ou de gris foncé. Elle reconnaissait ses oncles, quelques cousins. Maman malade ne sortait pas de sa chambre.

Maria avait envie de faire pipi, mais elle n'osait pas se lever. Son père n'arrivait toujours pas. Que signifiait ce ballet de personnes qui pirouettaient autour de cette caisse de bois munie de poignées dorées? Qu'est-ce que ça voulait dire tous ces gens qui se complimentaient gravement? Que voulaient dire ces mots, ces gestes, ces regards? Pourquoi son père n'arrivait-il toujours pas?

⁚⁚

Maria avait encore envie de pleurer. Elle mourait de faim. Elle se sentait sale dans ses vêtements humides de sueur. Sa vessie protestait avec véhémence contre une attente trop prolongée. Mais elle avait peur de se rendre aux toilettes et de manquer l'arrivée de Lúcio. À trois heures vingt, elle estima qu'il valait mieux rentrer à l'hôtel. Peut-être avait-il pensé la rencontrer dans leur chambre. Peut-être avait-elle mal compris.

Elle passa d'abord par les toilettes du musée, puis elle retourna s'asseoir et décida de partir à quatre heures seulement. Sur le chemin du métro, elle acheta une barre de chocolat qu'elle grignota pendant le voyage. La chambre était vide.

Non! Le préposé n'avait aucun message pour elle. Non! Il n'avait rien vu, ni entendu. D'ailleurs, il ne voyait, ni n'entendait jamais rien. Sa chambre était vide, mais des gémissements, et des grincements de matelas, venus de la chambre voisine, l'empêchaient de se concentrer sur son problème. Elle désirait désespérément la présence de son mari, mais en même temps, elle avait envie de frapper à la porte d'à côté. «Je deviens folle», pensa-t-elle.

▶ Consulat du Brésil bonjour, annonça une voix bien modulée. *Brazilian consulate, good morning.*
▶ Si vous désirez parler portugais, faites le 1.
▶ *For English, please press 2.*
▶ Nos bureaux sont présentement fermés. Ils ouvrent du lundi au vendredi, de neuf heures à treize heures. Vous pouvez nous faire parvenir une télécopie à n'importe quelle heure du jour au numéro 359-7771. Sinon, après le signal sonore, laissez vos nom et numéro de téléphone. Nous vous joindrons aussitôt que possible. En cas d'urgence, veuillez appeler le 359-7774.

Maria n'avait ni stylo, ni papier à portée de main. Elle se vit obligée de retéléphoner pour noter le numéro des urgences.

— Services consulaires du Brésil. Bonjour.

Elle craqua d'un coup et se mit à sangloter, sans pouvoir répondre.

— Calmez-vous, couina à son oreille la personne au bout du fil. Voyons, calmez-vous. Je suis certain que nous pouvons vous aider.

— Mon mari a disparu, hoqueta-t-elle.

— Vous êtes Brésilienne, Madame?

— Oui, et mon mari aussi.

— Expliquez-moi ce qui vous est arrivé. En cas de difficulté, vous savez bien que nos services sont à votre disposition.

Elle résuma leurs aventures.

— La dernière fois que je l'ai vu, il se rendait au consulat.

— Attendez! Votre mari est un homme de haute taille, de trente-sept ans, yeux bruns, moustaches noires, vêtu d'un anorak bleu foncé et d'un jeans Levi's bleu?

— C'est lui, gémit-elle. Il lui est arrivé quelque chose, n'est-ce pas? Dites-moi la vérité.

Elle crut entendre un rire étouffé.

— Oui, il lui est arrivé quelque chose, mais pas ce que vous pensez. Il va très bien, s'empressa d'expliquer la voix. Il n'est ni blessé, ni malade. Il n'a eu aucun accident. Il a... comment dirais-je... dans un accès de rage, tabassé et presque étranglé notre attaché commercial, alors qu'ils discutaient dans le bureau de ce dernier. Nous avons été obligés d'appeler la police.

— Mais... mais... pourquoi? bégaya-t-elle.

— À vrai dire, nous ne l'avons pas encore compris nous-mêmes. Notre attaché souffre d'une crise de nerfs. Il est chez lui, sous tranquillisants. Il n'est pas encore capable d'expliquer clairement ce qui s'est passé. Malheureusement, votre mari a été arrêté. Il est en garde à vue au commissariat pour tentative d'assassinat. Hem... je sais que la police va certainement vous poser les mêmes questions, mais est-il toujours sujet à ce genre de crises d'agressivité?

— Non.

— Suit-il un traitement psychiatrique?

— Pas du tout!

— Voyez-vous une explication pour ce genre de comportement?

— Non. Et nous ne parlons certainement pas de la même personne. Mon mari est calme, bien élevé, et incapable de faire du mal à une mouche.

— Votre mari s'appelle bien Lúcio Ribeiro.

— Oui.

— Eh bien, c'est lui, sans aucun doute. Je vous passe l'adresse du poste de police où il se trouve.

⊟⋮⊟

— Nous ne pouvons pas le relâcher, Madame.

L'interprète ajusta ses lunettes sur son nez.

— Votre consulat a déposé une plainte formelle pour coups et blessures sur un de ses fonctionnaires.

Il fit semblant de relire une feuille posée devant lui.

— Heureusement, l'accusation de tentative de meurtre a été retirée. Le procès-verbal ne cite que l'agression.

— Dieu soit loué ! murmura Maria.

— Je me demande d'ailleurs pourquoi cette affaire n'a pas été étouffée. Il s'agit d'un problème entre Brésiliens. Votre police peut arrêter votre mari lorsqu'il rentrera au pays. Il serait alors jugé par une cour locale. Je suis certain que notre juge en décidera ainsi. Un bon sermon, puis la déportation. Ne vous en faites pas. Nous n'avons aucune intention de le garder. Votre mari est citoyen brésilien et il n'a commis aucun crime sur notre territoire. Et, qui sait, il a peut-être eu une excellente raison pour rosser ce type ? Les services diplomatiques font parfois preuve d'une incompréhensible mauvaise volonté envers leurs ressortissants. J'en ai déjà fait l'amère expérience.

Un léger sourire soulevait les coins de lèvres de l'homme.

— Combien de temps cela peut-il prendre ?

— Quoi exactement, Madame ?

— Pour le jugement.

— Quelques jours. Je ne peux pas vous préciser combien de journées. Vous savez, la justice est plutôt lente.

— En attendant, vous ne pouvez pas le faire libérer ? Je viens de vous raconter notre histoire. Nous n'avons pas les moyens, ni aucune raison de nous enfuir.

L'homme réajusta encore une fois ses lunettes qui persistaient à glisser sur le bout de son nez.

— Ça dépasse mes compétences, Madame. Il y a des normes à suivre, des règlements, toute une bureaucratie.

Maria le regardait, les yeux pleins de larmes.

— Votre mari m'a expliqué les problèmes qui s'acharnent sur vous depuis votre arrivée. Je me suis permis de consulter quelques amis. À propos de vos finances, hormis votre banque ou votre famille, je ne vois pas qui peut vous sortir de ce mauvais pas. Le consulat aurait pu... aurait dû vous aider. Mais, maintenant...

— Notre banque confirme que nous avons de l'argent, mais que nous n'y avons pas accès. Nos familles n'ont pas les moyens de nous aider dans un si court délai. Depuis une semaine, nous tournons en rond sans arrêt. Et maintenant, Lúcio serait devenu fou?

Elle se remit à pleurer. Il lui tendit une boîte de mouchoirs en papier.

— Écoutez. La justice vous autorise à rendre visite à votre mari tous les jours. J'ai d'ailleurs l'impression qu'il est mieux loti que vous. Logement et trois repas garantis par jour, aux frais de notre administration. Pendant ce temps, l'avocat, qui lui a été désigné, convaincra le juge que toute cette affaire est complètement idiote et qu'il n'a pas à se mêler d'un pugilat entre deux Sud-Américains dont les nerfs sont à fleur de peau.

— Et qu'arrivera-t-il ensuite?

— Le magistrat ordonnera certainement son expulsion du pays. Comme vous possédez des billets de retour, il fera coïncider la date de son expulsion avec le jour de votre départ. Ce qui signifie un transport officiel jusqu'à l'aéroport. Notre gouvernement y gagnera parce qu'il ne devra pas prendre son retour en charge. J'espère que vous ne déciderez pas de rester, compléta-t-il avec une lueur espiègle dans les yeux.

⚏⚏

Malgré les indices omniprésents de l'arrivée du printemps, les passants déambulaient, chaudement vêtus. Le vent ne soufflait plus aussi fort et un soleil débile perçait par endroits la couverture de nuages qui recouvrait la ville. Maria marchait depuis plus d'une heure, comme assommée, sans rien voir ni entendre, entièrement plongée dans son malheur.

Lúcio lui avait remis tout l'argent qui lui restait. Les policiers les avaient laissés en tête-à-tête dans un petit bureau plein de classeurs et, apitoyés sur le sort du jeune couple étranger, ils avaient poussé la gentillesse jusqu'à leur offrir du café. Son mari avait d'ailleurs eu l'air de trouver la situation amusante.

— Tu aurais dû voir la tronche du mec quand je l'ai attrapé par la cravate et que je lui ai enfilé deux baffes. Une chiffe molle. Un type qui croit que son bureau le sépare des emmerdes du monde.

Il lui avait tenu un long discours de mâle satisfait d'avoir prouvé sa masculinité par un acte de violence. Son exploit l'excitait trop pour qu'il comprenne *l'emmerde* dans laquelle sa brusque explosion avait plongé sa femme. Il ne lui avait parlé que de lui, de son orgueil, de sa satisfaction «d'avoir montré à ce connard de quoi un vrai homme est fait». Bref, le sort de sa femme ne semblait pas l'inquiéter outre mesure. Elle l'avait laissé à ses rêves de violence, sans même l'embrasser. L'interprète avait raison. Son mari était au chaud, sans problème alimentaire, avec comme unique préoccupation l'attente de son extradition. Tandis qu'elle...

Ajouté au sien, l'argent de Lúcio ne lui permettait pas de dormir plus de trois nuits à l'hôtel. Elle ne se sentait pas d'attaque pour se mesurer à un autre répondeur ou à faire face à l'ire des services consulaires. Le vent sécha ses dernières larmes. La nature reprit le dessus. Son estomac gronda contre le jeûne forcé. Des images assaillaient ses rétines de toutes parts. Devantures criardes. Publicités lumineuses et clignotantes. Vitrines de luxe. Voitures rutilantes. Les menus, exposés près des portes des restaurants, la narguaient. Thaïlandaise, française, italienne, chinoise, allemande, japonaise : toutes les cuisines du monde se confondaient en un unique chaudron dans lequel elle ne pouvait rien puiser pour apaiser sa faim. Planant au-dessus de la rue, dans un ciel que la nuit noircissait rapidement, le gigantesque M d'un McDonald's tournait sur lui-même. Pourquoi n'avait-elle jamais remarqué qu'il existait autant de restaurants ? Elle entra dans un supermarché et acheta sagement du pain, cent grammes de jambon, du fromage à tartiner et une bouteille d'eau.

La rue fourmillait maintenant d'une faune hétéroclite. La lumière des réverbères créait des zones d'ombres qui réduisaient les inhibitions et favorisaient les intimités bizarres. Des femmes passaient sans hâte, poitrine projetée en avant, fesses qui se balancent, talons hauts, jambes nues malgré le froid. Dix pas d'un côté, demi-tour, dix pas dans l'autre, demi-tour. Elles s'arrêtaient parfois et se réunissaient en petits groupes indolents qui battaient du pied en fumant une cigarette. Derrière les fenêtres de bistrots miteux, les souteneurs surveillaient la bonne marche des affaires. Bientôt, la timidité des clients diminuait, au fur et à mesure que l'obscurité augmentait. Ils passaient d'abord à la va-vite, avec l'air non concerné de celui qui n'est que de passage, choisissant déjà une femelle. Puis, ils revenaient plus lentement, laissant aux filles le temps de les héler, sans toutefois répondre aux invitations. Au troisième passage, ils s'enhardissaient à détailler l'anatomie de leur choix. Au quatrième, ils s'arrêtaient à deux ou trois mètres, l'air désintéressé, surveillant leur proie du coin de l'œil. En général, elles finissaient l'abordage et leur proposaient les services les plus divers, tout en leur permettant de poser leur regard dans leur décolleté plongeant. Ils les considéraient de haut en bas, feignant d'être outrés par cette familiarité. Puis commençait le marchandage :

— Tu prends combien ? Tu tailles des pipes ?

— Ouais, si tu payes un peu plus.

— Mais t'avais dit que...

— Ça, c'est le prix d'une passe simple.

— Parce que t'en fais des compliquées ?

— Je fais n'importe quoi, du moment que tu payes.

— Bon, d'accord, on y va.

— T'as apporté des capotes ?

— Non. J'aime pas les capotes.

— J'en ai. Ça va te coûter un peu plus cher.

— J'te dis que j'aime pas les capotes.

— Et moi, j'aime pas le sida. Sans capote, rien qu'avec la main ! Ça te va ?

Ou ces messieurs s'éloignaient brusquement, ou ils acceptaient les conditions et disparaissaient avec les dames dans un des innombrables hôtels du quartier. Parfois en couple. Parfois en trio. Parfois en petit groupe.

Les voitures obéissaient à un autre schéma. Un premier tour du bloc à vitesse réduite, le temps de repérer la friandise. Un second tour pour faire philosophiquement la file le long du trottoir. L'arrêt pendant lequel le conducteur se penche vers une des glaces, tandis que la fille s'appuie contre la tôle. Le marchandage est à peu près le même, mais les prix sont plus élevés puisqu'on va s'envoyer en l'air dans un motel de la périphérie ou dans une garçonnière :

— Une partouse à plusieurs, ça me va. Je serai la seule nana? Alors, chaque mec devra me payer à part.

— Tu n'exagères pas un peu?

— Pourquoi que tu cherches pas ailleurs? Les soldes sont à l'étage.

La fille s'écarte en roulant des fesses, comme si elle disait : «Regarde ce que tu perds!» ou alors elle s'installe sur le siège du passager en laissant remonter sa jupe sur ses cuisses couleur de lait.

Des voyous s'insinuaient entre les couples, de petits vauriens, des loubards de quartiers, des arnaqueurs du troisième âge, tous en quête d'une poche trop gonflée, un œil attentif aux voitures de police. On buvait ferme dans les bars mal éclairés, territoires d'autres prostituées et de leur clientèle. On y échangeait des propos anodins, on y demandait des nouvelles de la famille, on s'y sentait presque chez soi. De temps en temps, un pochard y provoquait quelques remous avant de se retrouver, les quatre fers en l'air, dans un cul-de-sac rempli de bacs à ordures. Les boîtes de nuit proposaient leurs lots de nudités, depuis le très simple *strip-tease* totalement nu jusqu'aux relations sexuelles *live*. Devant les *peep-shows*, des racoleurs essayaient d'entraîner d'éventuels pigeons à plumer, pendant qu'ils regardaient des femmes nues se déhancher dans des «aquariums». Le cinéma débordait de lumières. Deux affiches mobiles encadraient maintenant l'entrée. D'un côté, une créature blonde au sourire séducteur projetait en avant deux gros seins siliconés aux mamelons hypertrophiés. La surprise venait d'un minuscule bout de tissu d'où débordait de tout côté un gigantesque sexe d'homme. Dans l'autre, aucun dessin, aucune photo. À peine un titre, suggestif : *Le Chien de ma voisine.*

Maria se faufila jusqu'à son hôtel, sans trop oser regarder ce qui se passait autour d'elle. Elle sentait de nouveau cet étrange manque d'air et cette lourdeur qui entravait ses membres. Un couple entra en même temps qu'elle. Un homme à la peau bistre, aux cheveux crépus, et une femme aux yeux fébriles, dont les mains tremblaient. À peine deux portes séparaient leurs chambres. Ils l'observèrent tandis qu'elle introduisait sa clé dans la serrure. Son cœur battait à se rompre. Elle hésita un instant. L'homme avait une main posée sur les fesses de sa compagne. L'invitation passa dans les regards. Elle referma le vantail derrière elle, passa la chaînette de sécurité et s'assit sur son lit en tremblant de tous ses membres.

Elle dîna, enveloppée par diverses rumeurs. Les ronflements de la rue, entrecoupés de bruits de voix et de rares coups de klaxon qui passaient par la fenêtre. Les chuchotements, gémissements et grincements de matelas qui traversaient les murs. Une musique de jazz venue de nulle part s'infiltrait partout. Elle se brossa les dents, retira les restes de son maquillage maculé par les larmes, enfila son pyjama, s'étendit sur le lit et éteignit la lumière. Les bruits se firent plus nets. Un cri étouffé coupa une respiration rauque. La frontière entre le discret tumulte réel et le vacarme qui grondait dans sa tête s'estompa. Le parquet craqua derrière sa porte. Des hommes se réunissaient dans l'étroit couloir et s'apprêtaient à envahir sa chambre. Elle agrippa la couverture de ses deux mains. Puis, plus rien. Le couple voisin lui revint à l'esprit. Elle aurait pu accepter... elle aurait dû accepter... qui l'aurait su? Elle les imaginait s'étreignant devant elle, puis avec elle. Une sensation de fourmillement s'empara de son ventre et se concentra sur son sexe. Oserait-elle? Elle alluma sa lampe de chevet. Un peu plus de onze heures. Pourquoi ne pas aller se promener, prendre un peu d'air dans cette grande ville jugée tellement sûre. Une dernière réticence, un dernier vacillement. Elle repoussa la couverture.

S'habiller devint une action pénible. Ses membres s'engourdissaient de plus en plus et subissaient de façon inhabituelle l'action de la gravité. Les boutons et les fermetures éclair de ses vêtements offraient une résistance inattendue. Elle respirait par à-coups, comme un poisson tiré de l'eau. Elle passa par le couloir désert, dépassa la réception miteuse et son cerbère flegmatique qu'elle salua d'une inclination de tête, et se retrouva dans la rue.

Elle ne vit d'abord qu'un tourbillon presque uniforme de lumières. Petit à petit, les êtres et les choses s'individualisèrent. Le son continu, qui l'avait accueillie, se divisa en voix, musiques et moteurs. Dans sa tête, la Maria de tous les jours la suppliait de retourner se coucher. Une autre Maria, une aventurière révélée depuis peu, l'obligea à avancer.

Elle n'eut pas le temps de franchir dix mètres que, dans son dos, quelqu'un formula une demande d'une voix étouffée. Évidemment, elle ne comprit pas un traître mot de la proposition. Elle accéléra le pas, mais l'homme la devança. Entre deux âges, gros et chevelu. Un relent d'urine l'enveloppait. Ses yeux, enfoncés dans leurs orbites, allaient sans cesse de ses seins à ses jambes et lui donnaient la sensation qu'elle se baladait nue. Après une deuxième tentative, il abandonna la partie. Elle passa devant le cinéma, lorgna les affiches du coin de l'œil, sans s'enhardir jusqu'à s'arrêter et elle le dépassa. Une centaine de mètres plus loin, elle retourna sur ses pas, décidée à entrer.

Ils vinrent à sa rencontre en souriant. La femme était de haute stature, presque belle avec ses cheveux blonds et ses yeux bridés d'Eurasienne, ne fût-ce la cicatrice mal cousue qui lui barrait la joue gauche. Ses pas, trop déhanchés, possédaient quelque chose de pathétique, comme une mauvaise imitation de marche. Son compagnon lui arrivait aux épaules. Mince, les cheveux noirs, gominés et peignés en arrière. Son manteau de cuir reflétait l'illumination du cinéma. Il examinait Maria avidement, un sourire étrange aux lèvres. Ils s'arrêtèrent devant elle et lui bloquèrent le chemin. La femme lui posa une question. Elle réussit à vaincre la paralysie qui l'immobilisait, secoua faiblement la tête et voulut passer outre. L'homme lui saisit le bras sans brutalité, mais fermement. La femme parlait sans arrêt, tandis qu'ils l'entraînaient avec eux. Ils n'eurent pas à aller loin.

L'hôtel était situé dans un cul-de-sac. Des graffitis obscènes recouvraient les murs. Une montagne de sacs d'ordures entassés dans le fond remplissait l'endroit d'une odeur nauséabonde. Une enseigne lumineuse dessinait un dragon de néon. La main, refermée sur son biceps, la soutenait plus qu'elle ne l'obligeait à avancer. Elle eut encore le vain espoir que quelqu'un les arrêterait.

Le temps lui manqua pour examiner la chambre. Des mains s'emparèrent d'elle, lui arrachèrent violemment ses vêtements et se mirent à explorer son corps, sans ménagement. Ils la jetèrent sur le lit, tandis qu'elle répétait stupidement «non, non, non!»

Une bouche s'empara d'un de ses seins et lui mordit cruellement le mamelon. Elle poussa un cri vite étouffé par un sexe d'homme qui lui bâillonna les lèvres. Pendant qu'elle le suçait presque malgré elle, elle sentit qu'on écartait ses jambes et qu'un autre sexe la pénétrait. Elle sursauta et commença à se débattre, en libérant sa bouche. Le poing du travelo l'atteignit sous le menton. Une galaxie chatoyante naquit devant ses yeux et elle perdit conscience.

Le défilé des détenus ne ralentissait que fort tard dans la nuit. Au poste de police passait la lie de l'humanité: les locaux se transformant chaque jour en une grande fresque réaliste de ce que l'humanité possédait de pire. Voleurs, truands, arnaqueurs, proxénètes, stellionataires, escrocs en tous genres se succédaient à un rythme hallucinant; la plupart étaient libérés dès l'arrivée de leurs avocats. Vers neuf heures, encadré par deux policiers, menottes aux poings, un personnage hirsute, mais bien vêtu, fut davantage projeté dans la grande salle de garde, qu'introduit. Un des policiers déposa sur le bureau du commissaire un sac rempli de cassettes vidéo. «Un médecin pédophile» expliqua laconiquement un gardien à Lúcio. Il comprit le dernier mot sans difficulté et se solidarisa avec les autres prisonniers quand ceux-ci menacèrent l'arrivant. L'individu dut être isolé dans une cellule inoccupée.

Couché sur un châlit de métal vissé au sol, les mains croisées sous la nuque, Lùcio réfléchissait. Une fois passé l'euphorie initiale provoquée par son exploit consulaire, il se demandait quelle mouche l'avait piqué. Les derniers coups, autant donnés que reçus, remontaient à l'époque du collège. Depuis, il s'était transformé en travailleur, davantage préoccupé par son boulot et par sa femme que par des disputes de bar ou de voisins en mal de clôtures. À São Paulo, frapper quelqu'un ne lui serait même pas venu à l'esprit. Des mots, des gestes, peut-être, mais surtout pas de contact physique. Qu'est-ce que provoquaient chez lui ces vacances bizarres, avec leurs journées de froid et de peur, et leur fuite en avant dans cet enfer glacé, leur fourvoiement dans le dédale des lignes téléphoniques où régnaient des répondeurs tout-puissants?

Ce ne fut que plusieurs heures plus tard qu'il se rendit compte qu'il n'avait même pas embrassé sa femme et qu'elle l'avait laissé sur un «ciao» plus que sec. Leur dialogue lui revint à l'esprit. Il n'avait parlé que de lui, sans se soucier de son bien-être à elle, sans même lui demander ce qu'elle allait faire pendant ces jours de solitude, dans cette ville étrangère. Il n'avait fait qu'exalter son fameux exploit, son haut fait : avoir presque étranglé, avec sa propre cravate, un vieux diplomate qui attendait, peinard, sa retraite. Une prouesse digne de l'imbécile qu'il était devenu. Que faisait Maria maintenant ? Elle dormait, sans doute, plongée dans la nuit d'un hôtel de passe. Une vague de panique s'empara de lui. Mais que pouvait-il faire ?

Elle ressentit la douleur, avant même de se réveiller complètement. Sa mâchoire, ses seins, son ventre semblaient gonflés. Une sensation de brûlure tourmentait son anus. Elle ouvrit les yeux dans le noir. Son dos épousait la surface irrégulière d'un matelas. Le soulagement fut immédiat. Elle dormait dans sa chambre où elle n'avait vécu qu'un cauchemar, une représentation onirique de son côté sombre. Ce drôle de couple et cet androgyne n'avaient sans doute existé que dans ses rêves. Elle étendit la main vers la table de chevet. Aïe ! Le mouvement provoqua une souffrance aiguë dans sa bouche. Un goût étrange enveloppait sa langue.

Malgré son réveil, le dard enfoncé dans son rectum la mettait au supplice. Un liquide froid et gluant humectait ses fesses et, pendant un instant, elle pensa qu'elle avait uriné dans le lit. Elle ne paniqua vraiment que lorsque sa main ne rencontra aucune lampe de chevet et, qu'à la faible clarté de la fenêtre, elle s'aperçut que le miroir, fixé au plafond, avait disparu. Elle n'avait donc pas rêvé?

Elle se souleva sur un coude. Rien ne recouvrait son corps, ni camisole, ni drap de lit. Elle se mit sur pied, chancelante. Quand le vertige passa et que le monde retrouva sa stabilité, elle se mit à explorer l'endroit, les bras tendus en avant. Elle buta contre un mur, reconnut une porte et trouva l'interrupteur. La lumière lui déchira les yeux. Tout son corps souffrait. Les murs gris, sans décoration, ne lui disaient rien. Il manquait une porte à l'armoire branlante où pendaient trois cintres. Sur le lit dépourvu de draps, à même le matelas, s'étalait un mélange de taches de sang et de sperme. Elle récupéra ses vêtements, la plupart en lambeaux, éparpillés sur le parquet et sur une chaise branlante. Elle essaya de s'habiller, ouvrit la porte et s'écroula, au milieu du corridor.

Lúcio attendit toute la journée. La chaleur de la cellule l'incommodait. Un codétenu, arrêté pour ivresse sur la voie publique et pour avoir agressé un agent de la paix, avait cuvé sa bière en ronflant toute la nuit. En arrivant, il avait vomi à profusion. Malgré un nettoyage en règle, l'endroit puait encore l'alcool mal digéré.

Les repas étaient de bonne qualité, supérieurs, en tout cas, à son ordinaire des derniers jours. Il y toucha peu. Au début de l'après-midi, l'interprète lui rendit visite.

— Vous m'aviez promis que ma femme pourrait me visiter, dit-il, de mauvaise humeur.

— Absolument. L'autorisation vous a été donnée par le chef de police lui-même.

— Mais alors, pourquoi n'est-elle pas encore venue, jusqu'à présent ? Je croyais que les flics ne la laissaient pas entrer.

Il se mit à marcher de long en large.

— Je vais devenir fou dans cette cage.

L'interprète fit un signe pour l'apaiser.

— Un instant. Je vais me renseigner.

Il revint très vite.

— Non, dit-il. Jusqu'à présent, personne ne l'a vue. Je vais passer un coup de fil à votre hôtel. S'il y a du nouveau, je vous le ferai savoir.

Il s'apprêtait à sortir, mais se ravisa.

— Je me mêle peut-être de ce qui ne me regarde pas, mais vous avez choisi un hôtel plutôt mal situé. Le quartier ne jouit guère d'une bonne réputation. Prostitution, homosexualité, vente de drogue. Pas spécialement dangereux, mais pas non plus l'endroit où j'aimerais me balader en compagnie de ma femme.

Lúcio se frottait les yeux, rougis par une nuit de mauvais sommeil.

— Vous savez, quand on se trouve dans notre situation, on n'a pas tellement le choix. Votre pays est trop froid pour permettre de dormir dans une voiture ou sous un pont. Si vous nous trouvez une chambre pour le même prix dans un autre quartier, je suis persuadé que Maria n'hésitera pas à déménager.

Il attendit le retour de l'interprète en rongeant son frein. Son compagnon se remettait mal de sa cuite et bredouillait des phrases décousues. Il ne se levait que pour aller uriner et retombait ensuite dans une léthargie éthylique et balbutiante, entrecoupée de rots et de soupirs malodorants.

— Personne ne l'a vue.

L'interprète semblait sincèrement désolé.

— Le gardien de nuit affirme qu'elle est sortie vers onze heures du soir et qu'elle n'a plus été vue depuis lors.

— Mais c'est insensé! Elle ne connaît pas la ville et serait sortie se balader toute seule la nuit. Ça va pas, non? Vous vous foutez de moi! Le gardien de nuit se trompe.

— Il l'a parfaitement reconnue. Les femmes brunes et bien bronzées ne courent pas le quartier. En tout cas, personne ne l'accompagnait quand elle est sortie.

— Vous dites ça pour me soulager? Et à quelle heure est-elle rentrée... toute seule, j'espère?

— Tout le problème est là. Elle n'est pas rentrée.

≕≓

La douleur la tourmentait avec un peu moins d'intensité. Elle avait l'impression qu'un mur très fin se dressait entre elle et son propre corps. Il n'arrivait pas à arrêter complètement la souffrance qui l'assaillait de toutes parts, mais lui permettait au moins de rassembler ses idées. Elle ne comprenait pas pourquoi le plafond blanc était aussi bas, presque à la portée de sa main. Qui donc la secouait sans arrêt? À chaque secousse, un flacon de liquide incolore se balançait avec un tube qui descendait vers son bras. Avec horreur, elle s'aperçut qu'un gros collier l'empêchait de mouvoir son cou et que plusieurs bandeaux entravaient son corps et ses membres. Elle gémit et commença à se débattre.

Une ombre, aussi blanche que le plafond, se déplaça dans son champ de vision. Un visage jeune et glabre se pencha vers elle. Les lèvres bougèrent, mais malgré ses efforts, elle ne réussit pas à comprendre ce qu'elles disaient. Une main, pouce levé, passa devant ses yeux. Juste à ce moment, elle entendit la sirène de l'ambulance.

≕≓

L'assistante sociale parlait lentement, en espagnol. Elle répétait parfois des phrases entières pour s'assurer d'être bien comprise. Assis près du lit, un médecin, jambes croisées, posait des questions qu'elle s'efforçait de traduire.

— Le docteur dit que vous avez eu beaucoup de chance. Rien de cassé et aucune lésion interne. À part les... — elle chercha le mot — les éraflures superficielles, bien entendu.

Cinq autres femmes partageaient sa chambre. Trois dormaient, ou faisaient semblant, une lisait une revue, une main plaquée contre son ventre, et la dernière, couchée sur le dos, regardait le plafond, sans cligner des yeux, sans bouger, en émettant parfois quelques discrets gémissements. L'endroit semblait figé dans le temps, suspendu entre deux mouvements de pendule. La voix de l'assistante venait de très loin.

— J'ai vraiment eu beaucoup de chance, grommela Maria entre ses lèvres gonflées. Un hématome bleuâtre cernait son œil gauche et le fermait aux trois quarts. Un autre s'étendait du menton jusqu'au cou. Elle grimaçait à chaque geste.

— Tous les tests de laboratoire, auxquels on vous a soumis, se sont révélés normaux. Vous n'avez attrapé aucune infection. Mais, à titre préventif, le docteur vous a prescrit des antibiotiques. Certains examens devront être refaits plus tard, quand vous serez de retour chez vous. Vous me comprenez ? Dans un premier temps, tout peut paraître normal. Mais après...

Une fenêtre encadrait la femme. Ses cheveux blonds filtraient la lumière du jour et conféraient à son visage un aspect translucide. Derrière le verre, les branches d'un arbre s'agitaient. Les bourgeons ouverts l'auréolaient de vert tendre. Le printemps s'annonçait en grand style.

— Vous comprenez aussi que le docteur doit faire un rapport à la police? Vous avez été agressée.

Maria secoua la tête. La tache livide, qui recouvrait le côté gauche de sa mandibule, lançait des pointes de feu vers sa langue. Chaque tentative de parler se soldait par des douleurs insoutenables qui parcouraient tout son visage.

— Le médecin aimerait savoir ce que vous faisiez dans l'hôtel où on vous a trouvée. Vous n'êtes évidemment pas obligée de répondre, mais tôt ou tard, la police vous posera les mêmes questions, et certainement avec beaucoup moins de tact.

Ce qu'elle faisait dans cet hôtel? Elle retourna la question sous tous ses angles et en arriva à la conclusion qu'elle n'en savait rien. Elle était née au sein d'une famille pauvre, mais décente. Malgré les difficultés, ses parents lui avaient offert une solide éducation. Elle était croyante à sa manière. Son travail actuel payait bien. Elle était mariée à un homme bon et décent, un travailleur qui avait trimé dur pendant des années et épargné sou par sou pour lui offrir un voyage inoubliable. Que faisait-elle dans un hôtel de passe, selon les termes de la femme, debout devant elle? Quel hôtel?

— M'avez-vous comprise, Madame?

Oh, oui! Elle comprenait. Elle comprenait tout maintenant. Elle parlait couramment plusieurs langues. Le portugais et des mélanges divers de français et de portugais, d'anglais et de portugais, d'espagnol et de portugais. Si elle s'efforçait un peu, l'allemand et l'italien suivraient. Peut-être le russe aussi! Elle était maintenant de plein droit une citoyenne du monde, une femme violée, battue, humiliée. Des larmes roulèrent sur ses joues. L'assistante sociale l'aida à s'asseoir, lui cala le dos au moyen de plusieurs oreillers, et lui essuya le visage.

— Si vous voulez, nous pouvons remettre ça à plus tard. La police attendra bien un jour ou deux.

— Non, murmura-t-elle. Ça ira.

— Avez-vous bien compris la question? Le docteur Bernstein aimerait savoir ce que vous faisiez dans l'hôtel du quartier où on vous a trouvée.

— Nous y avons pris une chambre, mon mari et moi.

— Dans ce quartier? Mais pourquoi?

Une expression d'incrédulité se peignit sur la face de l'assistante.

— Parce que notre argent s'est évaporé à la banque. Parce que nous nous sommes brusquement retrouvés dans ce pays sans un rond. Parce que nous n'avions plus les moyens de nous offrir autre chose.

La femme secoua la tête.

— Plus d'argent? Comme ça? D'un coup?

Maria se remit à pleurer. L'autre reprit tout bas, comme si elle n'y croyait pas

— Vous habitiez dans l'hôtel où l'ambulance est allée vous chercher?

— Non. Dans un autre.

— Que vous est-il arrivé?

— Mon mari est en prison.

Le médecin et l'assistante échangèrent un regard médusé.

— Votre mari est en prison ? Ici ? Au Brésil ?

— Ici. Il a agressé un fonctionnaire du consulat brésilien et la police l'a arrêté.

Le médecin semblait tout à coup fort intéressé par les détails de l'histoire. L'assistante se mordait nerveusement les lèvres.

— Revenons-en à vous. Est-ce que vous vous souvenez de ce qui vous est arrivé ?

La réponse lui échappait. D'où lui était venue cette irrésistible envie de sexe crapuleux, alors que son mari se morfondait derrière les barreaux ? Pourquoi désirait-elle encore maintenant franchir les rideaux rouges du cinéma porno et se sentir touchée par des mains, des bouches et des sexes d'invisibles inconnus ? Comment répondre ? Quoi répondre ? Ce n'est pas cette femme qu'il lui fallait, ni ce gynécologue discret, mais un bon psychiatre.

— Je ne sais pas, mentit-elle. Deux inconnus m'ont abordée dans la rue. Après, je ne me souviens plus de rien.

Nouveau conciliabule qui lui parvint comme un bourdonnement sourd. Le médecin passa la main sur son menton et posa une nouvelle question, aussitôt traduite.

— Est-ce que ces individus vous ont fait boire quelque chose ? Fumer, peut-être ? Avaler quelque chose ? Avez-vous senti quelque chose vous piquer ? Vous ont-ils soufflé quelque chose à la figure ?

Comment confesser qu'elle avait suivi le couple de son plein gré, les jambes molles, tellement la volonté de se donner à eux était forte ? Comment reconnaître qu'elle cherchait depuis des années ce qui lui était arrivé et qu'elle savait déjà qu'elle recommencerait, si elle en avait encore l'occasion ?

— Un d'eux m'a saisie par le bras. Après, je ne me souviens que de l'ambulance, où je me suis réveillée.

L'interprète évitait de regarder Lúcio dans les yeux. Il s'était laissé tomber sur une chaise et contemplait l'étroite fenêtre grillagée qui laissait entrer une lumière morose.

— Nous l'avons retrouvée, dit-il. À l'Hôtel-Dieu. Sa vie n'est pas en danger, ajouta-t-il précipitamment. Elle a été agressée par un couple. — Il attendit un moment avant de continuer. — Sexuellement agressée, je veux dire. Il n'y a pas de témoin et les enquêteurs se demandent comment ses agresseurs ont réussi à l'entraîner dans une chambre d'hôtel. Les premiers examens sont formels. Pas de trace de drogues ou d'alcool dans son sang. C'est comme si elle les avait accompagnés de son plein gré.

Lúcio battait du plat de ses mains sur la table. Sa tête ballottait comme celle d'un ivrogne.

— Nom de Dieu ! cria-t-il. Laissez-moi au moins la voir. Vous savez bien que je ne suis pas un bandit ! Je reviendrai. Je n'ai nulle part où aller ! Si vous voulez, faites-moi escorter par un flic jusqu'à l'hôpital ! Je vous en supplie...

L'interprète le regarda, apitoyé.

— Vous savez bien que c'est impossible. Il n'y a que le juge, qui instruit votre affaire, qui peut autoriser votre sortie. Si ça ne dépendait que de moi, je vous y aurais déjà amené personnellement.

— Pourquoi ne pas le lui demander?

Lúcio pleurait maintenant. Les larmes s'accumulaient sous son menton et tombaient goutte à goutte sur le métal.

— Vous allez comparaître devant le juge demain. Votre libération sous caution sera décidée.

Une lueur d'espoir pointa dans les yeux du jeune homme.

— Demain, seulement, soupira-t-il.

— Ce n'est pas aussi simple. N'oubliez pas que vous aurez à payer une caution. J'ai fait le calcul. Dans votre monnaie, cela équivaudra à près de douze mille réals.

Lúcio baissa la tête.

— Douze mille réals, balbutia-t-il. Douze mille réals. Mais d'où voulez-vous que je les tire? Je n'ai pas de quoi offrir à ma femme trois nuits dans un hôtel de passe. — Il haussa brusquement le ton. — Vous croyez que, si je possédais cette somme, je me trouverais dans cet endroit?

Mal à l'aise, le traducteur regardait la pointe de ses souliers.

— À moins que nous ne parvenions à attendrir le juge ou que nous lui prouvions que vous ne représentez aucun danger pour la société, vous resterez en prison jusqu'à votre extradition.

Lúcio se mordait les lèvres.

— Dites-moi au moins ce qui s'est passé.

— À vrai dire, on n'en sait rien. Votre femme semble avoir oublié ce qui lui est arrivé, comme si elle avait perdu la mémoire. Selon les médecins, c'est un phénomène qui arrive assez souvent en cas de traumatisme crânien ou d'agression. Ils appellent ça une amnésie sélective. Elle est sortie vers onze heures du soir de son hôtel et elle a été retrouvée inconsciente, les vêtements lacérés, dans le couloir d'un autre hôtel. Je peux toutefois vous garantir qu'à part quelques bleus, elle prend du mieux et nos médecins la soignent très bien.

— Vous mentez ! Vous me cachez quelque chose. Je vous en supplie, laissez-moi la voir !

L'interprète haussa les épaules.

— Je vais demander à l'avocat d'intercéder en votre faveur. Je crains toutefois que votre femme ne sorte de l'hôpital avant qu'on ne vous remette en liberté.

Le jour suivant, le médecin examina longuement Maria. L'assistante sociale traduisait au fur et à mesure que le praticien posait ses questions. À part quelques douleurs à la mandibule et un vague inconfort dans la région anale, elle se sentait déjà beaucoup mieux. Il l'informa que de nouvelles prises de sang s'avéraient nécessaires, ainsi qu'un frottis vaginal. Après l'avoir auscultée et lui avoir examiné le ventre, il sourit et lui communiqua que, le lendemain, elle serait autorisée à quitter l'hôpital.

— Vous êtes jeune, votre organisme réagit très bien et vous avez eu une sacrée veine!

Elle se contenta de secouer la tête. Toujours cette fameuse chance dont elle n'arrivait pas à se débarrasser.

Il lui serra la main et se retira.

— Nous avons plus ou moins fait rafistoler vos vêtements, l'informa l'assistante. Comme votre manteau est intact, il vous permettra d'aller vous changer à votre hôtel... Je vous conseille d'ailleurs de quitter l'endroit.

— Mon sac à main? demanda-t-elle subitement. Où est mon sac à main?

L'air étonné de la femme lui fournit la réponse.

— Quel sac à main? L'ambulance n'a rapporté que vos vêtements. Nous avons découvert votre passeport dans une poche de votre manteau. Il n'y avait rien d'autre.

À quoi bon pleurer... Elle ne possédait plus un sou. Même pas de quoi payer l'hôtel. Même pas de quoi s'offrir un sandwich ou un maudit ticket de métro. D'ailleurs, l'argent ne représentait plus grand-chose. Aurait-elle la force de mentir à son mari comme elle avait menti aux policiers et au médecin? Arriverait-elle à jouer jusqu'au bout son rôle d'innocente amnésique? Maîtriserait-elle, devant lui, ses fantasmes? Elle n'était plus sûre de rien. Elle savait seulement que Dieu la châtiait. Mais pourquoi s'acharnait-il aussi sur Lúcio?

Lúcio passa une main dans les poils de sa barbe. La prison n'arrêtait pas leur croissance. Tout comme la mort n'empêche pas les ongles de pousser. Puis il s'enroula dans sa couverture. Des bruits de voix, lointains, arrivaient jusqu'à sa cellule. Il entendit une chasse fonctionner et l'eau se précipiter dans un tuyau. Il était seul. Le poivrot avait été remis en liberté.

Comme prévu, malgré les efforts du jeune avocat assigné à sa défense, le juge s'était montré inflexible. Pas d'argent pour la caution, pas de liberté. Et puis merde! À quoi bon se torturer! Il était pris dans cette putain de prison, plus impuissant qu'un nouveau-né. Il ferma les yeux et essaya de s'endormir.

Maria lui tendait les bras, mais plus il avançait dans sa direction, plus la distance entre eux augmentait. Il la voyait se métamorphoser lentement en une brebis blanche qui plongeait dans une rivière et atteignait l'autre rive, transformée en brebis noire. Il se jeta à l'eau, derrière elle, mais avant de s'y enfoncer, la surface lui montra qu'il s'était transformé en bouc.

Il se réveilla en criant.

— Voici l'adresse, dit l'assistante sociale en lui tendant une enveloppe. Madame Van Zand vous attend. Vous lui remettrez cette lettre de notre part.

Quant à l'hôtel, la police n'a pas eu trop de difficulté à convaincre le propriétaire de vous faire crédit. Quand vous serez rentrée chez vous, si vous y pensez, envoyez-lui un peu d'argent par mandat postal.

Un soleil oblique envoyait ses rayons dans le petit bureau. Dehors, le vert dominait tout : un vert pastel, un vert timide, le vert des promenades au bord d'une rivière.

Maria avait le tournis. Elle sentait son estomac lui remonter jusqu'à la bouche. Un goût acide torturait sa gorge.

— Ça va ? demanda l'autre, alarmée par sa subite pâleur. Voulez-vous que j'appelle un médecin ?

Elle secoua la tête.

— On fera aller, dit-elle.

Elle respira à fond, plusieurs fois.

— À propos, comment vais-je récupérer nos bagages ?

— Nous enverrons une voiture les prendre. Si vous aviez des objets de valeur dedans, oubliez-les.

Elle glissa une petite carte dans sa direction.

— Le numéro de téléphone de la prison où se trouve votre mari. Si vous le voulez, je peux l'appeler pour vous.

Immobile, l'appareil en main, elle ne savait pas quoi lui dire. La femme l'avait laissée seule dans son bureau. L'explosion du printemps lui blessait les yeux. Elle n'osait pas descendre le store pour éteindre toute cette joie de vivre qui offensait ses blessures. Puis, il y avait cette espèce de bâillon élastique qui bouchait obstinément sa gorge. Il lui posait les questions habituelles. Comment allait-elle? Qu'est-ce qui lui était arrivé? Comment était-ce arrivé? Que faisait-elle? D'où téléphonait-elle? Malgré la distance, elle sentait la voix de son mari l'envelopper, la protéger, la caresser. Elle se sentait aimée, désirée. Elle ne répondait que par des phrases très courtes, des onomatopées, des «oui» et des «non». Puis, le barrage céda et toutes les larmes réprimées s'échappèrent d'un seul coup.

L'assistante la retrouva, affalée dans un fauteuil, la poitrine secouée de sanglots, le combiné sur ses genoux. Un filet de voix en sortait et répétait sans cesse: «Maria, Maria, Maria.»

CHAPITRE IX

La voiture tourna à gauche. La grande clarté du boulevard ne pénétrait guère dans l'étroit canyon que formait la ruelle. Les tons de gris y dominaient, à peine interrompus par la tache jaune de l'enseigne clignotante d'un restaurant coréen. Un peu plus loin, la vitrine d'un surplus de l'armée offrait des tenues de camouflage, des casquettes aux liserés dorés, des insignes de divers corps d'armée, une panoplie de couteaux de combat, et des protections complètes contre la guerre chimique ou bactériologique.

L'automobile s'arrêta à peine, le temps de la laisser descendre, comme si elle avait hâte de se débarrasser de sa présence. Le chauffeur, d'un geste large, lui indiqua la maison et repartit sans mot dire.

Une valise à chaque main, elle se sentit minuscule lorsqu'elle franchit l'entrée. Il faisait presque aussi froid dans le couloir que dans la rue. Elle s'arrêta et posa ses bagages par terre. Pas de bruit, pas de mouvement. Elle se retrouva devant quatre portes fermées et l'amorce d'un escalier, dans le fond, des murs sans décoration et aucune indication, nulle part. Elle pouvait être n'importe où, dans n'importe quel pays. Elle frappa à la porte la plus proche.

Une grande croix pendait sur la poitrine de l'être asexué qui ouvrit. Il avait les cheveux coupés court et son visage aurait pu appartenir autant à un homme qu'à une femme. Ses yeux donnaient une impression féminine, aussitôt démentie par ses lèvres fines et ses poils noirs qui dessinaient une ébauche de moustache. Pas de pomme d'Adam, mais la voix sonnait rauque, cassée, désagréable : la voix de quelqu'un qui souffre d'une maladie chronique des cordes vocales. Aucune bosse ne soulevait la laine du chandail. Les pantalons larges et les strictes chaussures noires soutenaient ce manque de définition.

Le bureau était agréable uniquement parce qu'il était un peu plus chaud que le couloir. Des rideaux tirés empêchaient la lumière du jour d'adoucir la sécheresse des murs nus, décorés à peine d'un Christ au visage béat qui louchait vers le plafond. Dans un coin, trois fichiers métalliques trapus semblaient prêts à bondir sur les importuns. Visiblement, rien n'avait été préparé pour mettre un éventuel visiteur à l'aise. Il n'y avait qu'un fauteuil vers lequel le personnage s'était retourné en boitillant de côté, comme un crabe. Sur la table dépouillée ne reposait qu'une maigre pile de chemises, appuyée contre un téléphone suranné et une bible. Une petite plaque en métal jaune, prise dans un support en bois, sur laquelle était écrit «Corine Van Zand, Directrice», brillait ridiculement.

Madame Van Zand lut, sans se presser, la lettre de l'assistante sociale. Elle ne semblait pas le moins du monde préoccupée de voir Maria rester debout, malgré son visage tuméfié et les hématomes qui s'étendaient sur ses mains et ses jambes. Par gestes et au moyen du dictionnaire de la Brésilienne, elle réussit à faire comprendre à cette dernière que :

1. Son organisation recevait des femmes dans le besoin, sans distinction de race ou de religion.
2. Les chambres ne servaient qu'à passer la nuit et la maison n'offrait que le petit-déjeuner.
3. Pendant la journée, les pensionnaires ne pouvaient pas rester dans l'immeuble et devaient partir à la recherche d'emploi ou de leur famille.
4. Ses bagages pouvaient rester consignés pendant ses sorties. Elle devait en dresser l'inventaire. Pas de réclamations en cas de vol.
5. Après dix heures du soir, les portes étaient fermées. Les retardataires n'avaient pas d'autre option que de passer la nuit à la belle étoile. Inutile d'insister après cette heure.
6. La présence masculine était formellement interdite, même pour une simple visite.
7. Le bruit n'était pas toléré, ni les agressions, verbales ou physiques.
8. Dieu protégeait cette institution de charité, et madame Van Zand en était sa représentante ici-bas.

Le lit s'affaissa un peu quand Maria s'assit. La chambrée, assez vaste en contenait huit, tous vides après l'expulsion quotidienne de leurs occupantes. Pour une question d'économie, la directrice ne la faisait pas chauffer pendant la journée. La Brésilienne se mit à grelotter. Un silence absolu régnait, un silence de maison abandonnée, désertée par l'espoir et par la vie. Une odeur d'eau de Javel irrita son nez. Aujourd'hui, exceptionnellement, elle avait reçu la permission de rester à l'abri. Elle n'avait rien d'autre à faire, si ce n'était potasser son dictionnaire ou contempler, par la fenêtre, le mur de briques rouges de l'édifice voisin, ruisselant de pluie. De violents coups de vent faisaient trembler les vitres. Elle se réfugia sous la couverture. Les larmes lui faisaient défaut. Elle s'abandonna à un sommeil sans rêve.

Maria se réveilla en sursaut, sans transition, sans demi-sommeil, plus lucide qu'elle ne l'avait jamais été. Devant elle, une double fenêtre, dépourvue de rideau, ne retenait pas le froid qui la transperçait jusqu'aux os. Un peu de buée translucide arrondissait les coins des vitres. Au-delà, le paysage se résumait à un mur de briques rouges dégoulinant de pluie. Elle frissonna et se recouvrit jusqu'au menton. La couverture était aussi grise que la lumière du jour naissant, tachée par endroits de longues traînées brunâtres, d'origine indéfinie.

Des ronflements et des crises de toux se croisaient encore dans le dortoir glacé, mais la plupart des pensionnaires étaient déjà debout. Les cheveux défaits, recouvertes de vêtements rapiécés, elles rangeaient dans des valises cartonnées, en mauvais état, des objets sans valeur, du linge informe, des papiers lus et relus, des choses bizarres auxquelles elles semblaient très attachées et qu'elles caressaient de leurs doigts déformés, les yeux brillants de larmes. Dans un coin, près de la porte, un être hirsute, les pieds enveloppés de feuilles de journaux et de plastique opaque, s'adressait avec conviction à un interlocuteur imaginaire. La femme secouait un indicateur sous le nez de cet individu issu de son délire et qui semblait responsable de tous ses avatars. Ses phrases n'avaient d'ailleurs aucun sens, plus proches de la mélopée que du discours. De temps en temps, elle s'interrompait pour se gratter l'aine avec vigueur.

Stupéfaite, Maria s'aperçut qu'elle avait dormi tout habillée. Un lourd manteau entravait son corps et des gants de laine paralysaient les mouvements de ses mains. Une écharpe lui servait de capuchon et réchauffait ses oreilles. Elle rejeta la couverture de côté et s'assit maladroitement. Le lit grinça, son estomac ronfla et sa vessie exigea qu'elle s'en occupe. Mais son cerveau refusait obstinément de reconnaître le lieu où elle se trouvait. Que faisait-elle dans cet endroit ? D'où venait ce froid qui grignotait sa peau malgré ses vêtements? Comment était-elle arrivée ici? Son regard se posa sur les murs. Ils étaient nus. Leur couleur oscillait entre le blanc sale et le jaune délavé. Aucune décoration pour diminuer la sensation oppressive qu'ils transmettaient. À peine une croix pendait-elle entre les deux fenêtres qui laissaient passer une lumière de plomb. Cachot? Oubliettes? Cul-de-basse-fosse? Où se trouvait-elle?

Elle remonta machinalement sa manche et dénuda son poignet. Sur sa peau bronzée, elle ne vit que la marque claire de sa montre. Elle ne la retirait pourtant jamais. Où avait-elle bien pu la laisser? Toujours cette zone d'ombre dans sa tête, cette faille dans sa mémoire, cette absence de passé, ces êtres et ces choses qui tourbillonnaient follement en un ballet incompréhensible et sans fin. De la pointe de ses doigts gantés, elle tâta sa mâchoire. La douleur y palpitait encore au rythme de son cœur, mais l'enflure était déjà beaucoup moins perceptible.

Soudain, tout se remit en place avec force détails. L'abri où elle se trouvait, son mari en prison, le vent, l'hôtel — elle se mit à trembler — le couple, le sexe — elle glissa une main entre ses jambes, comme pour se protéger —, l'hôpital, le médecin, la police, l'assistante sociale. Et partout le froid, ce froid d'agonie, annonciateur de mort.

À sa gauche, une porte s'ouvrit. En sortit une femme aux yeux bouffis, les joues tachées par la couperose, presque chauve, enroulée dans une espèce de cape informe. Une forte odeur d'urine l'accompagna, qui se dilua peu à peu dans le froid du dortoir. Elle croisa une autre créature apathique dont les cheveux blond filasse retombaient sans grâce sur les épaules, et qui disparut à son tour dans les toilettes. Maria dut faire un effort pour jeter ses jambes hors du lit. Chaque millimètre de son corps protesta contre ce mouvement trop brusque. Une douleur aiguë vrilla son anus. Elle s'immobilisa et attendit que la souffrance s'atténue. Le dortoir tangua un peu, puis retrouva son immobilité.

Ses narines frémirent. Ce n'était plus seulement un reste de relents urinaires qui les irritait. Des effluves de sous-vêtements sales se mélangeaient à des exhalaisons de nourriture rance auxquelles s'additionnaient des odeurs corporelles que nul parfum ne camouflait. Une odeur de désinfectant couvrait tout.

Ses pieds nus prirent contact avec les lattes presque tièdes du plancher. Où se trouvaient ses souliers ? Elle paniqua. On lui avait volé ses souliers ! Elle s'imaginait déjà, à l'instar de la femme qui parlait toute seule dans son coin, marchant dans les rues de la ville, les pieds enveloppés de journaux et de feuilles de plastique maintenues ensemble par des bouts de lacets et des élastiques. Elle inclina doucement le tronc en grimaçant sous l'effet des élancements qui la torturaient. Ils étaient là, sagement alignés sous le lit. Elle les enfila, en gestes maladroits, après avoir retiré ses gants. Des égratignures livides zébraient ses mains. Elle les tourna et les retourna, incrédule, à quelques centimètres de son visage. Ces mains ne lui appartenaient pas, ne pouvaient pas lui appartenir. Ces doigts gercés, ces ongles cassés, ces éraflures appartenaient à ces malheureuses qui s'agitaient autour des restes de leur vie, à ces femmes rejetées par la société. Certainement pas à elle.

La porte des toilettes s'ouvrit une nouvelle fois. Elle s'y précipita, bousculant au passage une créature maigre qui boitait. La puanteur de l'endroit paraissait presque solide et se concentra à la racine de son nez. Elle sentait la migraine monter, sans se presser. Des étoiles filantes naissaient et s'évanouissaient à la limite de son champ visuel. Contre sa tempe gauche, une artère se mit à battre douloureusement, au rythme de son cœur. Elle contempla, dégoûtée, le liquide jaune qui remplissait le fond de la cuvette et enfonça d'un geste sec le bouton de la chasse. L'eau tourbillonna dans la cuvette. L'intensité de l'odeur augmenta d'abord, puis s'affaiblit, au point d'en devenir supportable. L'évier avait l'air propre : vieux, écaillé, mais propre. Au-dessus, un miroir lui montrait une femme qui semblait se remettre d'une grave maladie ou qui aurait été renversée par une voiture. Elle refusa cette image, comme elle avait refusé ses mains, et comme elle refusait cet endroit. Ces orbites cernées d'un halo noirâtre, ces pommettes saillantes, ces lèvres encroûtées, cet hématome bleuâtre, qui s'étendait du menton jusqu'à la joue gauche, ne sauraient lui appartenir. Elle était jeune, elle était belle, mais elle se trouvait devant une vieille qui imitait ses mouvements et qui, par certains aspects, lui ressemblait.

Au moins, l'eau était chaude. Elle en remplit l'évier et y plongea les mains. Elle fut reconnaissante de la sensation de bien-être qui l'envahit. De la chaleur! Depuis quand la chaleur la fuyait-elle? Depuis qu'elle avait abandonné ses tropiques? Depuis qu'elle avait mis un océan entre elle et le soleil? Depuis que douze heures d'avion la séparaient de la douceur de vivre brésilienne? Depuis qu'elle vivait dans un monde d'arbres sans feuilles et sans oiseaux? Elle s'aspergea le visage. Les gouttes coulèrent sur sa peau flétrie. Si au moins elle parvenait à gommer toutes ces ombres bleutées qui la maculaient. Elle commença à déboutonner ses vêtements, mais interrompit son geste. Quelqu'un heurtait bruyamment la porte. Elle ne prit même pas la peine de répondre. À quoi bon? Personne ne la comprenait et elle ne comprenait personne. Elle cria un mot glané au hasard dans sa tête et fit taire le bruit. Elle acheva une toilette précaire et retourna s'asseoir sur son lit.

Les autres femmes s'affairaient dans les limites de frontières tacitement acceptées. Un mouvement trop ample, un geste trop large, un pas de trop se soldaient par des grognements, des cris dissuasifs et, parfois, une brève échauffourée. Ensuite revenait le calme des mouvements sans propos, des rangements sans but, des phrases vides de sens. Comme Maria, deux femmes étaient assises sur le bord de leur lit, sans bouger, le regard fixé sur un point où rien n'existait. Elle perdit tout doucement le contact avec la réalité. Images et sons se confondaient en un kaléidoscope où tourbillonnaient des brins de phrases, des fragments d'images, des bouts d'idées. Que faisait-elle dans cet endroit ? Qui était-elle ? La réalité perdait de nouveau toute consistance. Provenait-elle réellement de ce pays plein de soleil, où se balançaient des palmes paresseuses ? Avait-elle réellement connu des plages sablonneuses où l'on pouvait courir nu, pour aller se jeter dans un océan d'eau tiède ? Vivait-elle dans cette cité folle où misère et richesse se confondaient en un rêve tropical ? Elle se prit la tête entre les mains et ferma ses paupières avec force. Dans son coin, la folle parlait, parlait.

Une sonnerie tinta. D'un seul mouvement, les femmes interrompirent ce qu'elles faisaient et se dirigèrent vers la porte. Maria, tirée de sa torpeur, leur emboîta le pas. Elles débouchèrent dans un salon meublé en tout et pour tout par deux tables flanquées de bancs sans dossier. D'une cantine mobile s'échappaient des volutes de fumée blanche. Personne ne parlait, les yeux rivés sur les distributeurs de lait et de café. Toujours en silence, les femmes recevaient une assiette et un bol qu'elles remplissaient fébrilement. Elles allaient ensuite s'asseoir au long des tables et dévoraient avidement leur petit-déjeuner. Certaines langues se déliaient alors, et quelques rires fusaient, comme pour prouver la présence d'un reste d'humanité. Pourtant, la plupart des visages restaient tendus, comme des visages de gens qui s'attendent à recevoir une mauvaise nouvelle. Mais personne ne laissait une miette dans son assiette ou une goutte dans sa tasse.

Madame Van Zand entra dans le dortoir. Elle marchait de côté, à la façon d'un crabe, appuyée sur une canne taillée dans un bois noueux. La maladie avait déformé le côté gauche de son corps et tordait sa bouche vers la droite en un rictus à la fois ironique et tragique. Sa voix était rauque, aussi neutre que ses vêtements.

Mesdames, annonça la paralytique, vous avez une demi-heure pour quitter les lieux. Comme vous le savez, notre règlement nous interdit de vous garder pendant la journée. Je vous recommande de vous adresser à la mairie pour vous trouver un abri définitif ou de demander à vos familles de vous héberger.

La phrase tomba dans l'indifférence la plus complète. Les femmes ne semblaient même pas écouter ce que la boiteuse disait. Les baluchons étaient bouclés. Enroulées dans leurs hardes rapiécées, elles se dirigeaient déjà vers la porte, habituées aux délogements successifs, aux injonctions de quitter les lieux, aux lits temporaires. Maria réunit ses maigres biens et suivit un dos courbé qui marchait lentement devant elle. Deux minutes plus tard, elle reçut la première gifle d'un vent glacé.

L'abri était situé dans une courte rue transversale qui unissait deux avenues plus importantes. D'un côté, l'enseigne lumineuse d'un restaurant coréen, qui ne payait guère de mine, clignotait malgré l'heure et l'absence absolue de passants. Des lettres manquaient dans ce débordement incongru de lumière que le jour atténuait. De l'autre côté, le surplus de l'armée restait dans l'ombre. Il ne pleuvait pas, mais le froid n'en était que plus vif.

Maria se mit à grelotter, avant même d'être poussée sans ménagement sur le trottoir. Les autres femmes se dispersèrent lentement, comme de vieux habitués à la sortie d'un bon restaurant ou d'un théâtre. Derrière son dos, la porte se referma avec un son creux. Bouger ! Il fallait qu'elle bouge, qu'elle marche, qu'elle atteigne le refuge précaire d'une station de métro. L'envie de crier la prit brusquement, l'envie de hurler à la mort, comme une louve qui a perdu ses petits, l'envie de demander aux passants d'avoir pitié d'elle et de son mari, et de les renvoyer chez eux.

Les jours passèrent sans se presser. Maria faisait à pied le chemin de la maison à la prison. Les policiers s'étaient pris de sympathie pour le jeune couple et permettaient à Maria de partager les repas de son mari. Quand le soir tombait, elle prenait le chemin du retour, épouvantée par l'idée de devoir passer la nuit dehors. Elle se présentait devant madame Van Zand qui l'autorisait à retrouver son lit. Elle réussissait déjà à mâcher sans éprouver aucune douleur. Sa peau retrouvait son aspect normal. Comme le lui avait recommandé le médecin, elle surveillait son urine, restée aussi claire que l'eau. Sa réserve d'antibiotiques, reçue à l'hôpital, s'épuisait rapidement.

Ses compagnes d'infortune, trop fatiguées ou trop préoccupées par leurs propres problèmes, l'ignoraient. Chaque jour, le matin, une fois le petit-déjeuner terminé, la directrice expulsait tout le monde. Certaines avaient dépassé le temps limite de permanence et étaient interdites de retour. Elles revenaient quand même et madame Van Zand ne s'en formalisait guère. D'autres disparaissaient purement et simplement. Certaines s'en allaient mourir dans les hôpitaux, victimes de pneumonie ou de maladie du cœur. Quelques-unes réussissaient à se prostituer, rien que pour attraper le sida ou être assassinées dans des venelles obscures où elles offraient leurs corps pour survivre. Leurs lits ne restaient jamais vides. La misère ne lâchait pas ses proies. D'autres femmes misérables, en haillons, presque mortes de froid ou de faim, venaient frapper à la porte du vieil immeuble. Madame Van Zand faisait sa sale gueule habituelle, mais n'en laissait jamais aucune dehors.

Petit à petit, le temps se réchauffait.

Une semaine plus tard, comme prévu, Lúcio fut déporté vers le Brésil. Économie pour ses hôtes puisqu'il détenait son propre billet d'avion. Économie pour lui et pour Maria, puisqu'ils eurent droit à une voiture de police banalisée qui les conduisit à l'aéroport où ils reçurent un traitement V.I.P.

Pendant toute la durée du vol, ils somnolèrent dans les bras l'un de l'autre. Maria pleura lorsque l'avion déchira un épais banc de nuages, et que l'accumulation fantastique des édifices de São Paulo surgit dans le hublot.

CHAPITRE X

Comme dans un labyrinthe d'abattoir, des couloirs à sens unique conduisaient inexorablement les voyageurs éreintés vers les différents services de vérification de la police de l'aéroport. Ils traînaient derrière eux des valises pourvues de petites roues qui tendaient à tomber sur le côté si, par malheur, ils accéléraient le pas. Ils se voyaient alors obligés de faire de fatigants exercices de redressement, sous les regards goguenards ou irrités des autres passagers dont ils obstruaient le chemin. Les couloirs tournaient à angle droit ou se terminaient sur un escalier roulant qui plongeait vers d'autres couloirs nus, pourvus d'un éclairage sans ombre. Parfois, quelques marches, que rien ne justifiait, les obligeaient à soulever leurs bagages. Les plus vieux ahanaient sous l'effort. Les autres maudissaient le concepteur de ce dédale qui les obligeait à marcher sans fin, alors qu'ils n'aspiraient qu'à retrouver leur lit. De temps en temps, ils passaient devant des «aquariums» où s'agitait une foule animée et joyeuse, prête à répondre aux ordres d'embarquement diffusés en trois langues par des haut-parleurs omniprésents. Postés à une certaine distance les uns des autres, des hommes et des femmes, vêtus avec cette élégance particulière qui permet de distinguer le flic à des kilomètres, observaient les arrivants. Des caméras de surveillance accompagnaient leurs moindres faits et gestes.

Quelques annonces lumineuses rompaient la monotonie beige des murs et promettaient des communications plus faciles, des cartes de crédit acceptées partout dans le monde, et des parfums féminins irrésistibles. Des beautés demi-nues caressaient des voitures aérodynamiques, synonymes de vitesse et de sexe.

Maria et Lúcio avançaient un peu à la traîne, aussi silencieux que la plupart de leurs compagnons de voyage. Lúcio pensait à du café bien chaud, à une bonne douche, à l'état de son jardin, et surtout à son plumard. De son côté, malgré sa fatigue, Maria refoulait avec violence des pensées érotiques, comme elle l'avait fait pendant tout le vol. Elle s'était imaginé coincée dans les étroites toilettes de la cabine avec un inconnu, subissant ses assauts en se mordant les poings pour ne pas crier. Ce n'était pas Lúcio qui avait voyagé à ses côtés, mais un travesti qui l'avait obligée à lui caresser le sexe pendant que l'attention des autres était prise par l'action du film qui passait à l'écran. Elle avait fermé les rideaux de la minuscule cuisine et avait permis à des femmes en uniforme bleu de l'embrasser. Elle ne savait plus quoi faire. Tout son corps ne demandait qu'à s'offrir à des gens qu'elle ne connaissait pas, qu'elle n'avait jamais vus, et qui disparaîtraient de sa vie sans jamais avoir aucune idée de ce qu'elle éprouvait. Elle avait regardé son mari plusieurs fois en se demandant s'il soupçonnait ce qui se passait dans sa tête, s'il apercevait les traces des désirs inassouvis qui s'imprimaient sur son visage, s'il sentait cette odeur de femelle en chaleur qu'elle croyait répandre autour d'elle. Ignorait-il encore en quelle dévergondée sa femme s'était transformée ? Il avait dormi en ronflant sereinement pendant la plus grande partie du vol. Maintenant, il marchait à sa gauche, content d'être de retour, inconscient de ce qui obsédait Maria.

Sans transition, le couloir déboucha dans une vaste salle coupée en deux par une dizaine de cabines où trônaient des individus patibulaires. Des queues se formaient déjà, Brésiliens à gauche, étrangers à droite. Passeports en main, Maria et Lúcio avancèrent lentement et se retrouvèrent devant une femme qui saisit leurs documents d'un geste brusque. Elle compara leurs visages aux photos, pianota sur un clavier invisible et attendit. Elle lut quelque chose avec attention, puis demanda :

— Lúcio Ribeiro, c'est bien votre nom ?

— Oui. C'est d'ailleurs ce qu'affirme le petit carnet que vous avez en main, répondit-il, croyant dérider la situation.

Une crispation de la main qui tenait le passeport fut la seule chose qui lui signifia qu'elle avait entendu. Le visage ne démontra aucune émotion. Un rien d'ennui, peut-être, de devoir faire face à longueur de journée à des idiots de cette espèce.

— Je vous ai posé une question très simple, Monsieur. Êtes-vous Lúcio Ribeiro ? Répondez-moi «oui» ou «non», sans commentaire ou plaisanterie déplacée.

Lúcio avala sa salive.

— Oui, c'est bien moi.

Après un dernier coup d'œil à son ordinateur, elle saisit un téléphone et prononça rapidement quelques mots.

— Un instant, s'il vous plaît, dit-elle en raccrochant. Ayez l'obligeance de reculer de quelques pas pour permettre au suivant de passer.

— Mais pourquoi?

Visiblement, la douanière n'en pouvait plus. Devoir répondre aux questions idiotes de ce demeuré dépassait le quota de patience qu'elle s'octroyait au début de chaque journée de travail.

— Reculez! Sans discussion! Suivant, s'il vous plaît.

— Ça va être coton, ronchonna Maria. Si on nous empêche maintenant d'entrer dans notre propre pays! Je me demande en quel endroit cette conne va nous déporter. Que ce soit au moins pour un autre pays tropical!

Ils étaient tellement hébétés de fatigue qu'ils ne virent pas les deux hommes s'approcher. La femme leur fit un signe de tête en les désignant.

— Monsieur Lúcio Ribeiro?

Les vestons gris foncé étaient un rien trop larges et trop longs. Les cravates étaient mal nouées. Les pantalons retombaient en plis inélégants sur leurs chaussures. Par une illusion d'optique bizarre, ils donnaient l'impression d'être beaucoup plus nombreux et de les entourer de toutes parts.

Lúcio se contenta de secouer la tête.

— Veuillez nous accompagner, s'il vous plaît. Nous désirons vous poser quelques questions.

— À propos de...

— Veuillez nous accompagner, s'il vous plaît! dirent ils d'un ton sec.

Ils obéissaient à des ordres supérieurs et s'attendaient à ce que le couple en fasse autant.

Ils leur ouvrirent une porte, frappée de l'écusson de la police fédérale. Derrière, ils aperçurent un autre couloir et plusieurs portes fermées. L'éclairage correspondait à celui du reste de l'aéroport : froid et sans ombre. La pièce, où ils entrèrent, était complètement nue, mis à part une table, deux chaises et un avis, collé à côté du chambranle, au-dessus d'une sonnette. «En cas de besoin, appuyez sur le bouton» pouvait-on y lire.

Une inutile flèche rouge pointait vers l'unique bouton existant. Une clé tourna dans la serrure. Le silence s'alourdit. Lúcio appuya sur la clenche. Rien ne se produisit.

— Mais, nous sommes enfermés! constata-t-il. Ces corniauds nous ont enfermés. Qu'est-ce qui leur prend à ces mecs? Qu'est-ce que ça veut dire?

Il enfonça rageusement le bouton puis tapa du plat de sa main contre la porte. En vain. En soupirant d'aise, Maria s'assit par terre, adossée à un mur, les jambes étendues. Lúcio vint la rejoindre.

— J'espère que l'idée n'est pas de nous faire mourir de faim dans ce trou? dit-elle mi-figue, mi-raisin.

Lúcio se mordait les lèvres.

— On ne s'est quand même pas trompés d'avion. On est à São Paulo, nom de Dieu! Au Brésil. On n'est plus à l'époque de la dictature. Le temps des militaires est révolu. La police ne peut pas arrêter les gens comme ça, sans motif! C'est pas normal. On a le droit de savoir ce qui se passe!

Il se remit sur ses pieds, maintint le bouton enfoncé tandis qu'il martelait la porte. Il fallut cinq bonnes minutes pour qu'on réagisse.

Ils formaient toujours une paire, mais ce n'était pas les mêmes. Leurs corps bloquaient complètement l'ouverture.

— Qu'est-ce que vous voulez? demanda l'un d'eux. Ça signifie quoi tout ce raffut?

— Qu'est-ce que je veux? Qu'est-ce que je veux?

L'indignation le faisait bégayer.

— Je... je veux, non, j'exige qu'on nous dise de quoi il retourne. Si nous sommes accusés de quelque chose, nous avons droit à un avocat. Vous ne pouvez pas nous retenir ici de cette façon.

Leurs traits n'exprimaient rien, des robots dépourvus d'émotion, mais certain qu'ils allaient le frapper, Lúcio recula prudemment de deux pas.

— Vous avez surtout le droit de la boucler et de cesser de faire du bruit. Tout votre boucan empêche nos collègues de travailler.

La mention de gens qui travaillaient près de leur cellule prit Lúcio au dépourvu. Il s'imaginait qu'ils étaient abandonnés dans un cul-de-basse-fosse d'où ils ne sortiraient que pour monter à l'échafaud.

— Mais...

— Pas de mais ! Fermez-la, un point c'est tout. Est-ce que je me suis fait comprendre ?

— Surveillez vos manières, Monsieur, dit Maria, venue se poster derrière Lúcio.

Elle parlait à une porte fermée.

≡⋮

— J'ai faim, soupira Lúcio.

— C'est tout ? Si tu n'as rien de plus original à me dire, tais-toi.

— Ça va, ça va, grommela-t-il. Y'a pas de raison de s'énerver.

— Tu trouves ? Tu sors de taule et moi d'un abri pour mendiante. On arrive chez nous et devine quoi ? On se retrouve en taule ! Si tu trouves qu'il n'y a pas lieu de s'énerver, tu m'expliques.

Une demi-heure plus tard, la porte s'ouvrit. Une autre paire de policiers entra. Un couple, cette fois. Maria et Lúcio ne prirent même pas la peine de se lever. Ils se contentèrent de les regarder.

— Veuillez nous accompagner, commanda la femme en s'adressant à Maria.

— Je ne bouge pas d'ici sans mon mari, vous m'entendez! cria Maria au bord de l'hystérie. Ou nous sortons ensemble, ou nous restons ici ensemble.

— Comme vous voulez. J'allais vous proposer un brin de toilette et une collation. Après, vous êtes libre de quitter l'aéroport.

— Et mon mari?

— Le surintendant vient d'arriver. Il va certainement vouloir l'interroger tout de suite. Il sera sans doute libéré un peu plus tard.

Ils échangèrent un regard rapide.

— C'est quoi cette histoire de surintendant? demanda Lúcio.

— Le surintendant régional de la police fédérale.

Un peu d'amusement adoucit la sévérité de son visage.

— Vous devez être quelqu'un de très important ou alors vous avez commis une bourde très grave. En vous regardant, on n'a pas l'impression que vous êtes tellement dangereux.

— Heureux de vous l'entendre dire! J'espère compter sur votre témoignage pour me sauver de la pendaison.

— On ne pend plus personne dans ce pays, répliqua l'homme. Et c'est parfois bien dommage, murmura-t-il, comme pour lui-même.

— Vous ne m'avez toujours pas répondu. Qu'est-ce que votre surintendant me veut?

Les deux agents ne lui prêtèrent plus aucune attention.

— Que décidez-vous, Madame?

— Vas-y, dit Lúcio. Tu n'as rien à faire ici. C'est moi le criminel. Puis, j'ai besoin d'un peu de solitude après toute l'excitation de notre voyage, ajouta-t-il avec un pâle sourire.

Le silence de la pièce devenait oppressant. Les bruits des réacteurs n'y arrivaient que sous la forme de ronflements débiles, presque éteints, comme ceux d'un avion qui disparaît à l'horizon. Lúcio anticipa d'abord sa rencontre avec le mystérieux surintendant, mais il en vint rapidement à des préoccupations plus directes. Que se passait-il avec Maria ? Depuis quelque temps, elle perdait la spontanéité qui faisait son charme. Ses yeux effrayés démentaient son rire trop facile, trop artificiel. Elle s'emportait pour un rien et répondait sèchement, sans être provoquée. Elle avait toujours dissimulé à tout le monde les vraies raisons de son hospitalisation. Il était certain qu'elle n'avait pas perdu la mémoire et qu'elle se souvenait très bien de ce qui lui était arrivé. Pendant qu'il se morfondait en prison, elle l'abandonnait la plupart du temps pour retourner dans les rues de cette putain de ville où il avait pensé lui offrir un congé inoubliable.

Il était tellement fatigué, tellement las de ses aventures. Il ne demandait qu'à se retrouver chez lui. Ses yeux se fermèrent et sa tête s'inclina vers sa poitrine.

Il marchait sur un gazon, sans préoccupation, en sifflotant, les mains enfilées dans les poches de son pantalon. Il n'y avait aucun chemin tracé. Rien que de l'herbe à perte de vue et une vague piste de brindilles couchées.

Sa tête se redressa brusquement. Il n'y avait aucun moyen d'échapper à cette lumière omniprésente. Il pensa se réfugier sous la table, mais la clarté y était aussi forte qu'ailleurs. Ses paupières pesaient des tonnes.

Était-ce à peine une impression ou ses pas produisaient maintenant un bruit de succion, de ventouses? Il regarda ses pieds. De l'eau ramollissait la terre et plaquait les courtes tiges contre le sol. Sa marche devint pénible. Il glissait et se déséquilibrait tandis que l'humidité augmentait de plus en plus. Il s'arrêta et regarda droit devant lui.

Une larme coula sur son visage. Il leur faudrait du temps pour effacer ce voyage de leurs mémoires. Mais, d'abord, il fallait reprendre le collier et feindre que rien n'était arrivé. Les chaises et la table rapetissaient. Les murs s'éloignaient à toute vitesse.

Il ne restait que de la glaise. Au loin, des lèvres lumineuses prononçaient son nom. Il n'y avait pas d'autre direction à prendre. La gazelle broutait sous un arbre. Il s'approcha lentement de l'animal qui ne semblait pas le craindre. Il tendit un bras pour le caresser.

Son dos souffrait. Il s'était affaissé sur lui-même. Son tronc ne s'appuyait plus que par les épaules contre le mur. Il gémit et se redressa. Il avait soif et transpirait, malgré la climatisation.

L'animal s'écarta. Plus il voulait l'atteindre, plus il s'éloignait. Il se mit à courir, mais la gazelle disparaissait déjà derrière une colline formée par un amoncellement de roches grises. Il se mit à la gravir. L'avalanche roula dans sa direction. Avant de l'atteindre, les pierres se changèrent en feuilles qui lui secouèrent les épaules.

Le couple était de retour. Les vêtements gris neutre obstruaient sa vision. La femme ne se distinguait de l'homme que par le volume des seins qui tendaient le tissu de sa chemise.

— Le surintendant va vous recevoir, monsieur Ribeiro.

— Ça vous dérangerait qu'en chemin j'aille aux toilettes et que je boive un verre d'eau ? Je suppose qu'un bon café et un sandwich sont hors de question.

Ils le laissèrent entrer seul dans les toilettes.

— Votre nom, s'il vous plaît ?
Il le lui donna.
— Date de naissance ?
— …

— Adresse?

— ...

Le surintendant diminuait de taille, puis grandissait, parfois se dédoublait et ne retrouvait son aspect normal que quand Lúcio faisait un effort pour concentrer son regard sur lui, avec des yeux qu'il maintenait difficilement ouverts. Les questions lui rappelaient une situation différente, vécue dans un autre monde. Un rêve? Une femme lui demandait les mêmes renseignements, mais dans un autre contexte. Elle possédait une voix sensuelle et voulait connaître jusqu'au nom de sa mère. Il la détestait. Pourquoi?

— Monsieur Ribeiro, est-ce que vous me comprenez? Je vous prie de répondre aux questions que je vous pose.

Le voile se déchira. Le confort de son fauteuil laissait à désirer et, sans les accoudoirs, il se serait certainement étalé sur le parquet. Il frissonna sous l'impact de l'air froid expulsé par trois orifices grillagés. Pas de froid, pour l'amour de Dieu. Il ne supportait pas le froid.

— Monsieur Ribeiro!

Il se faisait engueuler parce qu'il ne connaissait pas le code secret de sa carte de crédit. L'année, plus l'âge de maman plus... Non! L'âge de maman, plus le numéro de sa maison... Non plus! Maria, dans quel couloir te promènes-tu? Quelle vitrine regardes-tu sans rien pouvoir t'acheter? J'ai besoin de ton passeport...

— Monsieur Ribeiro, pour la dernière fois, je vous prie de me répondre.

Il se réveilla d'un coup, la salive épaisse, les yeux douloureux et le bras gauche ankylosé. Un examen rapide de l'endroit où il se trouvait lui révéla que le surintendant le considérait, l'air mauvais, par-dessus ses lunettes de lecture, et qu'il s'adressait bien à lui!

— Oui, Monsieur, dit Lúcio, mal assuré.

— Il est plus que temps que vous me preniez au sérieux, monsieur Ribeiro. Je représente l'autorité policière, chargée d'instruire votre cas. Répondez clairement à mes questions. Quand je vous demande votre adresse, ne me répondez pas par un nom de femme qui, je suppose, doit être celui de votre épouse ou de votre mère.

— Mais qu'est-ce que vous me voulez, à la fin? Je ne suis pas un criminel.

— C'est justement ce que l'enquête déterminera.

— Une enquête? À propos de quoi?

— Monsieur Ribeiro, n'essayez pas de jouer au plus fin avec moi et répondez à mes questions. Ne perdez pas de vue qu'une copie de votre déposition sera remise au juge en charge de votre cas.

Où se trouvait-il? Juge, police, cas! Était-il revenu en arrière? Avait-il été ramené dans ce pays où le soleil ne parvenait pas à vaincre le froid et où des trophées de chasse pendaient à tous les murs? Impossible puisqu'il comprenait tout ce qu'on lui disait.

À côté du surintendant, un greffier tapait sur un clavier, chaque fois que Lúcio et le policier disaient quelque chose.

L'avion, l'aéroport, les couloirs, les passeports, la prison, Maria... tout lui revint clairement.

— Votre adresse, monsieur Ribeiro?

— ...

— Marié?

— Je vois mon passeport sur votre table. Vous connaissez les réponses aussi bien que moi.

Le surintendant changea de couleur. Sa peau tourna au jaune pâle, comme s'il allait s'évanouir. Son acolyte s'arrêta brusquement de taper et leva la tête, l'air horrifié, vers son chef, puis vers Lúcio.

— Vous aggravez votre cas par votre manque de respect. Cela peut ne pas vous paraître évident, mais je représente la loi. Veuillez donc vous abstenir de faire des commentaires déplacés.

Lúcio compléta avec un succès relatif l'interrogatoire préliminaire, comme le qualifiait le surintendant qui avait retrouvé son air rubicond.

— Savez-vous pourquoi vous comparaissez en ce moment devant la police fédérale, monsieur Ribeiro?

Il secoua la tête. Ses paupières pesaient de nouveau plusieurs tonnes. Comment penser clairement quand la gravité attire sans arrêt votre tête vers le sol? Qu'est-ce qu'il pouvait bien savoir qui puisse intéresser la police fédérale? Il n'avait jamais reçu d'amende. Ses impôts étaient à jour. Il n'amenait aucun produit de contrebande dans ses bagages, réduits d'ailleurs à bien peu de choses. Il travaillait honnêtement pour un salaire de merde. Il revenait de vacances...

— Répondez, monsieur Ribeiro !

Répondre quoi ? Ses vis-à-vis possédaient maintenant des jumeaux plus ou moins brumeux. Il ferma les yeux avec force.

— Non, j'ignore pourquoi vous m'interrogez.

Ils n'étaient plus que deux. Plus la croix pendue au-dessus du surintendant, et qu'il remarquait pour la première fois.

— Je reconnais que votre affaire sort de l'ordinaire.

L'homme se pencha vers lui et ajouta :

— Le ministère des Affaires étrangères a remis au ministère de la Justice une plainte à votre sujet. Un mandat d'arrêt à votre nom a été émis. Vous voyez de quoi je parle ?

Toujours pas ! Dans sa fatigue, il se souvenait bien d'une vague dispute avec un fonctionnaire consulaire. Mais de là à ameuter deux ministères à Brasilia et à actionner la police fédérale ! Évasion de capitaux, songea-t-il en souriant béatement. Blanchiment d'argent. Devant lui, la grande table se recouvrait d'un tas de billets verts.

— Puis-je savoir ce qui vous amuse, monsieur Ribeiro ?

Pourquoi le type ne l'appelait-il pas par son prénom, comme tout le monde ? Monsieur Ribeiro, par-ci, monsieur Ribeiro, par-là. Pourquoi ne se tutoyaient-ils pas, ne buvaient-ils pas un verre de bière ensemble et n'allaient-ils pas dormir avec leurs femmes respectives ?

— Rien, murmura-t-il. Rien ne m'amuse.

— Nous pouvons donc continuer.

Certainement. Pourvu qu'on le laisse dormir.
Les jumeaux étaient de retour.

— Vous connaissez monsieur Aloísio Moura
Rangel?

Malgré le sommeil, il fit une telle mine ahurie
que le policier reprit.

— Monsieur Aloísio Moura Rangel est l'attaché
commercial que vous avez agressé.

Le sommeil reflua brusquement.

— Je n'ai agressé personne. Nous avons eu des
mots. C'est tout!

— Des mots?

Il lui montra une feuille.

— D'après le rapport établi par le consul en
personne, vos mots se sont montrés plutôt conton-
dants. Vous avez étranglé monsieur Rangel avec sa
propre cravate et vous lui avez appliqué une paire
de gifles qui a failli lui arracher la tête. Qu'avez-
vous à répondre?

— Le rapport de Monsieur le consul exagère.

— Eh bien, racontez-moi votre version.

Sa version? Comment décrire son désespoir, sa
frustration, sa rage? Comment décrire un moment,
et tout ce qu'il contient, quand ce moment est déjà
passé? Il ne voulait surtout pas revenir en arrière.
Pas replonger dans le mystère de la transformation
de Maria en cette autre femme qui lui faisait peur.
Il désirait avant tout oublier ces jours funestes.

— Je ne sais plus. Je ne me souviens pas très
bien des détails. Je lui ai demandé de m'aider. Il a

refusé. Nous avons discuté. Et je dois avoir perdu la tête. Mais c'est du passé, tout ça. Si vous voulez, je peux présenter mes excuses à l'attaché.

— Ce serait trop facile. On ne peut pas attaquer impunément un membre du corps diplomatique, puis présenter ses excuses. Vous avez commis un délit grave, monsieur Ribeiro, passible de prison. À moins que vous n'ayez une bonne raison qui justifie votre acte.

Les jumeaux se séparaient encore une fois. Malgré sa jeunesse, le greffier exhibait une calvitie précoce qui lui dégageait le front. Sa peau reluisait sous l'éclairage fluorescent. Une bonne raison? Il était une personne raisonnable, n'était-ce pas une bonne raison? Jusqu'à quel point pouvait-on se jouer de la patience d'une personne avant qu'elle ne réagisse? La fatigue le ligotait, l'entravait, le paralysait. «Je veux dormir!» hurla-t-il en silence.

— J'attends, monsieur Ribeiro.

— Il m'a poussé à bout.

— Quelques détails vous aideraient beaucoup et faciliteraient ma compréhension, vous savez?

Après la bonne raison, les détails! Une banque qui se dérobe. Un hôtel qu'on ne peut payer. Un gérant qu'on n'arrive pas à joindre. Le vent glacé qui s'engouffre dans les vêtements. La neige qui recouvre petit à petit les souliers. Maria, l'œil à moitié fermé, qui marche en boitant. L'air fat et suffisant de l'attaché.

— Je ne me souviens plus. Je suis trop fatigué. Ne peut-on pas remettre cet interrogatoire à plus tard?

— Non. Mais je peux vous assurer qu'une fois que nous en aurons terminé, je vous autoriserai à rentrer chez vous.

Un jumeau sortait du Christ, maintenant, de son côté gauche, comme Ève est sortie d'Adam. Revoir sa maison! Il n'y croyait plus. Cet idiot le cuisinerait jusqu'à ce qu'il meure de fatigue. N'est-ce pas comme ça que l'action se déroule au cinéma? On torture un individu en l'empêchant de dormir, pour ne pas laisser de trace. Mais que voulait-on qu'il avoue? Il ne se souvenait pas d'avoir commis un crime.

— J'avais besoin d'argent et je me suis adressé au consulat pour voir s'il pouvait me dépanner.

— Vous étiez en vacances, n'est-ce pas? Vous et votre épouse.

— Oui.

— Vous êtes parti en vacances sans argent?

Lúcio soupira. Non, il n'était pas parti sans argent. Bien au contraire. Ses économies devaient bien se trouver quelque part. La police fédérale ne pouvait-elle pas mettre à sa disposition un investigateur pour découvrir ce qui leur était arrivé?

— Au beau milieu du voyage, notre argent a disparu.

Amusé, le visage moustachu du surintendant se plissa de mille rides.

— Si je comprends bien, la banque a égaré votre argent.

— À peu près ça, oui.

— Et vous ne disposiez d'aucune marge de crédit en cas d'urgence?

— Vous croyez que les banques avancent de l'argent à tout le monde? Mes dépôts ne sont pas suffisants pour tomber dans les bonnes grâces des banquiers.

— Intéressant. Nos services bancaires n'atteignent peut-être pas les sommets d'efficacité des grandes institutions multinationales, mais l'argent n'a pas l'habitude de disparaître. Comment croyez-vous que cela soit arrivé?

— Justement, je n'en sais rien. Et toutes les personnes à qui j'ai parlé n'en savent rien non plus.

— Bon, d'accord. Votre argent s'est évaporé. Quel lien avec l'attaché commercial?

On en arrivait toujours au désespoir, au fond du puits, à ce moment de pure cruauté, quand il faut s'adresser à l'autre pour demander quoi faire. L'amertume devant l'indifférence des employés des banques, pour qui un client désargenté n'existe plus. L'écœurement provoqué par ces répondeurs inventés pour séparer les pouilleux des nantis. Comment résumer la désolation, l'écœurement, le découragement, en quelques images bien pesées, pour que ce type lui foute la paix et le laisse dormir?

— Le consulat représentait mon dernier espoir. Quand l'attaché a commencé à se moquer de moi…

— Vous avez sauté dessus pour lui tordre le cou.

— À peu près.

— Selon vous, interrompez-moi si je me trompe, le responsable de l'agression de monsieur Rangel, c'est Rangel lui-même. Il a voulu se payer votre tête et vous n'avez fait que répondre à ses provocations.

— Oui, c'est bien ça.

— Ce n'est pas du tout ce qu'affirme monsieur Rangel. Je cite sa déclaration : « Monsieur Ribeiro s'est présenté à mon bureau en état d'ébriété ou sous l'effet d'une drogue... »

Son cerveau embrumé perçut les mots « ébriété » et « drogue ». Complètement dingue cette histoire. Ils le prenaient pour un camé. Il secoua vigoureusement la tête, ce qui eut pour effet de le réveiller.

— C'est absurde. Je ne bois pas.

— Un rien de cocaïne, peut-être, pour vous donner le courage d'affronter le consulat ?

— Je ne vois pas où vous voulez en venir. Je ne bois pas. Je ne fume pas. Je n'ai jamais fait usage de drogue. Même pas un calmant vendu en pharmacie. De plus, si mon problème était le manque d'argent, comment aurais-je pu réussir à me procurer de la came ? À crédit ?

— Je cite encore une fois : « Il, c'est-à-dire vous, ne parlait pas de manière cohérente. En entrant dans mon bureau, il titubait visiblement. Ses yeux étaient injectés de sang. Il me faisait peur. »

Il se perdait dans les méandres de ses souvenirs. Son épuisement ne lui permettait de saisir que des bribes d'images, parfois sans relation les unes avec les autres. Il y avait de la neige, du froid et des lacs gelés. Puis des souvenirs de fouilles. Aéroport, commissariats, partout des mains qui froissent les vêtements et envahissent l'intimité des gens. Un débit de boissons, aussi, un bâtiment annexé à une station-service, où il avait tapé sur quelqu'un. Était-ce la même personne ?

Le Christ avait retrouvé son unicité. Une nausée lointaine s'enroulait dans l'estomac de Lúcio.

— C'est faux. Votre attaché ment.

Petit à petit, la panique l'envahissait. Un jet d'adrénaline acheva de le réveiller.

— Attendez, dit-il. Une autre personne m'a vu pendant un temps assez long dans la salle d'attente.

— Madame Sílvia Cortes, secrétaire du consulat. J'ai sa déposition sous les yeux.

— Vous voyez bien que l'attaché ne dit pas la vérité.

— Au contraire. Selon madame Cortes, je cite : « Vous êtes entré en criant, vous avez failli renverser une chaise et vous avez déchiré un journal. » Elle affirme, en outre, que vous lui faisiez peur. Vous avez effrayé tout notre service consulaire.

— Elle ment, elle aussi. Demandez à ma femme dans quel état je me trouvais quand je l'ai laissée pour me rendre au consulat.

— Nous savons que votre femme a été hospitalisée le même jour, à cause d'une sordide histoire de viol. Où étiez-vous quand c'est arrivé ?

Bonne question. Mais une autre question devait être posée avant. Qu'était-il réellement arrivé à Maria ? Elle mentait quand elle affirmait qu'elle ne se souvenait de rien. Tout le monde mentait.

— En prison.

— Pourquoi ?

— Parce que j'ai agressé l'attaché commercial du consulat.

Comme au téléphone ! On répond. On enfonce des touches. On se retrouve à la case départ. La conclusion du surintendant ne pouvait être différente.

— À la bonne heure. Nous avons donc une bonne idée de ce qui s'est passé. Si j'ai bien compris, une banque a fait disparaître votre argent. Vous avez rossé un fonctionnaire consulaire parce qu'il vous provoquait. Ce dernier, la secrétaire du consulat et le consul lui-même ont envoyé des rapports mensongers au ministère des Affaires étrangères. Ensuite, vous avez passé quelques jours en prison pendant que votre femme se remettait d'un viol. Cette dernière a alors été hébergée par une institution de charité. Finalement, vous avez été considéré comme un indésirable et expulsé du pays. Ai-je bien résumé votre déposition ?

L'apathie le reprit. Cet homme, qui parlait dans sa moustache grise, avait parfaitement saisi la situation et n'avait absolument rien compris. Lúcio secoua la tête. Le surintendant se gratta la joue, tandis qu'il feignait de lire les feuilles étalées devant lui.

— Je crois que vous ne vous rendez pas compte de l'absurdité de vos déclarations. Vous rejetez la responsabilité de tous vos problèmes sur les autres et vous les accusez de mentir. Ça ne vous mènera nulle part ailleurs que devant un juge, et ensuite en prison.

Il n'en croyait pas ses oreilles. Il délirait certainement. L'épuisement faussait ses sens. Un juge ? Un procès pour un malentendu entre deux hommes ! Un procès, basé sur des mensonges qu'il n'avait aucun moyen de démasquer. Il devait y avoir une erreur quelque part. Il ne ressemblait même pas à ce Lúcio Ribeiro, drogué et agressif, décrit par l'Itamarati*.

Trois feuilles A4 sortirent de l'imprimante et lui furent tendues par le greffier.

— Veuillez lire attentivement votre déposition, monsieur Ribeiro. Si vous n'êtes pas d'accord avec le contenu, vous pouvez toujours le modifier. Une fois qu'elle est signée, c'est définitif.

Il la signa, sans la lire.

＝＝

Deux policiers l'accompagnèrent jusqu'à un petit bureau, où son passeport lui fut rendu. Lúcio flottait, plus qu'il ne marchait.

— N'oubliez pas vos bagages!

Oui, d'accord. Il venait juste de débarquer. Il devait retirer ses valises. L'immobilité des tapis roulants, et l'absence de passagers dans la zone de retrait des bagages, le dérangèrent plus que les sbires qui l'encadraient.

— Il faut vous adresser au bureau des bagages non réclamés, l'informa l'un d'eux.

Pas de bagages non réclamés à son nom. Maria avait sans doute réussi à tout emporter.

Étant donné qu'aucun avion ne venait d'atterrir, il se retrouva seul devant quatre douaniers qui ne

* Ministère des Affaires étrangères du Brésil.

se privèrent pas du plaisir de fouiller longuement le bagage à main de cet individu signalé comme étant violent et drogué. Malgré leurs efforts conjugués, ils ne trouvèrent aucune trace d'arme, ni le moindre atome de substance psychoactive.

Il s'arrêta au seuil du hall de l'aéroport. Derrière lui, une porte vitrée opaque se referma en chuintant et le coupa de ses anges gardiens. Il obligea ses jambes à le porter jusqu'à une chaise libre, sur laquelle il s'affala. Un soupçon d'amusement détendit son visage. Il n'avait plus un rond, ni en dollars, ni en réals. Maria portait sur elle l'argent réservé à leur retour, ainsi que leur carte de crédit. Même l'autobus jusqu'au centre-ville n'était plus à sa portée. Dormir sur son siège? Chercher un banc pour s'allonger? Insulter un flic et se faire coffrer pour pouvoir dormir à l'abri, en prison? Il examina le contenu de ses poches. Il lui restait un peu de monnaie, juste assez pour appeler Chico et lui demander de venir le chercher. Il tiendrait bien le coup encore deux ou trois heures.

Il chercha un téléphone rouge, mais n'en trouva que des bleus et des jaunes, et ils étaient tous occupés. Il s'installa derrière un dos, surmonté d'une tête chevelue, plaça sa valise entre ses jambes et attendit. Il l'aurait parié! Les téléphones voisins furent libérés immédiatement et aussitôt pris d'assaut. L'oreille du chevelu paraissait scotchée à l'appareil.

Le mur s'ouvrit comme une porte et dévoila un ciel bénin. Des nuages blancs survolaient un paysage bucolique. Une rivière coulait en silencieux méandres au milieu de champs parsemés de fleurs. Lúcio avançait sur une colline faite de sable qui réchauffait ses pieds. Un brouillard translucide se mit à monter de la rivière, laquelle disparut en emportant les prés fleuris. Deux serpents s'enroulaient sur un arbre à moitié pourri et le menaçaient. Malgré tout, il ne pouvait pas s'empêcher d'avancer dans leur direction. Quand il arriva à portée de leurs crocs, un cercle de feu l'entoura. Il saisit quelques braises et les lança dans la direction des reptiles. Malgré tout, l'un d'eux lui toucha l'épaule.

Un message résonna dans le grand salon et le tira de sa torpeur. La main, sur son épaule, était incroyablement légère et chaude. Il se retourna. Maria lui souriait.

— Tu m'as attendu?

— Bien sûr. Tu ne pensais quand même pas que j'allais te laisser tomber. J'aurais bonne mine d'arriver à la maison sans mon mari.

Elle l'entraîna vers un petit restaurant.

— Alors, raconte. Qu'est-ce que le surintendant te voulait?

Il mangeait des pâtes sans goût et buvait une bière fade. Par une grande baie, sa vue plongeait dans le tarmac. Des nains secondés par des machines naines servaient, en silence, les grands avions immobiles. La scène semblait irréelle. Des questions! Des questions! Tout le monde lui posait des questions qui restaient sans réponse. Le surintendant planait dans un monde à part, jugeant des actes commis sur un autre continent, au moyen de déclarations mensongères. Alors, pourquoi l'interroger?

— Il a reçu une plainte du type que j'ai tabassé au consulat.

Elle demeura coite, en attendant le reste de l'histoire.

Il enroula les spaghettis sur sa fourchette. Il ne trouvait plus rien à dire. La police n'importait guère. À peine un ennui trivial, dépourvu de consistance, presque ridicule. Les vacances, et leur lot de catastrophes, de méchanceté et de médiocrité, se perdaient déjà dans les brumes du passé. Seule Maria possédait une existence réelle. Il posa sa main libre sur la sienne, sans arrêter, de l'autre, de tourner sa fourchette. La fatigue n'émoussait plus sa conscience.

— Et toi, que s'est-il passé?

— Pas grand-chose. Ils m'ont offert du café et des biscuits, puis m'ont aidée à récupérer nos bagages et m'ont laissée partir.

Elle regardait une lampe mal vissée qui clignotait près des comptoirs des compagnies aériennes. Il savait qu'elle avait compris le sens de sa question, mais qu'elle l'éludait sciemment. Il continua de jouer dans son assiette, sans parvenir à manger, l'estomac noué par l'angoisse.

— Tu sais bien de quoi je veux parler.

Il lut un début de réponse dans ses yeux: la compulsion de tout lui dire, d'étaler la vérité et de résoudre, une fois pour toute, les problèmes qu'elle sous-tendait, de se soulager en confessant... quoi? L'autre Maria reprit le dessus, la femme froide, lointaine, secrète. La femme qu'il ne comprenait plus.

— Si tu veux parler de ce qui m'est arrivé, je t'ai déjà tout dit, comme je l'ai dit aux toubibs.

— Je ne suis pas un toubib, nom de Dieu! Je suis ton mari. Je t'aime!

Elle secoua la tête.

— Je ne me souviens de rien. J'étais dans la rue et je me suis réveillée à l'hôpital. Finis ton repas et rentrons à la maison.

Il considéra le labyrinthe rouge que formait le reste des spaghettis sauce tomate sur la faïence blanche. Rentrer à la maison! Une solution définitive. On efface tout et on recommence à zéro. On oublie les blessures et on feint de ne pas voir les cicatrices résiduelles. On ne pense plus au juge qui attend, à l'argent disparu. On oublie tout et on renaît, vierge de toute impureté, innocent, comme un jeune enfant. Mais les jeunes enfants sont-ils innocents? Pourquoi ne veux-tu rien me raconter? Crois-tu que je vais cesser de t'aimer? Me crois-tu capable de vivre sans toi?

Il faillit renverser la chaise en se levant. Maria regardait ailleurs.

CHAPITRE XI

Allongé sur le lit, Lúcio suait. Le bruit du ventilateur variait subtilement et les changements constants de tonalité l'empêchaient de dormir. La chambre était trop chaude pour débrancher l'appareil, tandis que les moustiques l'empêchaient d'ouvrir la fenêtre. Maria dormait nue, sous le drap, en ronflant tout bas, la peau aussi sèche que si elle était sortie d'un bain. Des raies de lumière passaient par les fentes des persiennes. À trois heures du matin, São Paulo grondait en sourdine. Peu à peu, ses paupières se refermèrent. Le ronronnement de la ville se mua en grincements stridents qui semblaient surgir de toutes parts. Il ouvrit les yeux.

Lúcio se demanda encore une fois comment naissaient les cigales de son jardin, dans cette métropole sale et décadente, riche en rats et en blattes. Sans compter les milliers d'enfants des favelas qui vivaient en leurs compagnies, sous les ponts qui enjambaient cet égout puant à ciel ouvert que les habitants persistaient à considérer comme une rivière. Malgré le bruit et la lumière, qui envahissaient la chambre, Maria n'avait pas bougé. La réveiller en embrassant ses seins ? Poser sa bouche sur la sienne ? Lui caresser les cheveux ? Coller son corps contre le sien ? Il envisagea toutes les possibilités, mais la crainte qu'elle lui inspirait depuis leur retour l'obligea à sortir du lit.

Il s'aspergea le visage d'eau tiède, enfila un short et se rendit à la cuisine. Il y faisait aussi chaud qu'en plein jour. Les murs restituaient encore la chaleur de la veille et s'abreuvaient déjà au soleil tout neuf qui dépassait les toits des maisons voisines. Il sortit dans le jardin. La vie, sur le petit rectangle de terre, n'existait plus. Il s'accroupit et arracha une feuille d'épinard. Elle se défit en fragments bruns qui glissèrent entre ses doigts et s'envolèrent, poussés par un vent léger et sec. Son petit monde ressemblait maintenant à un désert, d'où l'eau fuyait depuis longtemps les terres calcinées. Du sol craquelé s'élevait une poussière kaki qui recouvrait ses pieds. Pendant plus de quatre semaines, sa belle-mère avait oublié d'arroser les plantes et les légumes, qui retournaient maintenant à leurs composants primaires. Le rosier n'avait pas échappé, lui non plus, à l'implacable chaleur. Il dardait en tous sens des branches rabougries et sèches, dangereusement armées. Il se frotta les yeux. Au-dessus de lui, le ciel métallique, rempli de fumée, virait déjà au gris. Et pourtant, les cigales n'arrêtaient pas de chanter, dissimulées sous les branches du figuier qui survivait vaillamment à la canicule et au manque d'eau.

À l'aide d'une pelle de jardinage, Lúcio creusa un trou, à la recherche d'un reste d'humidité. Il ne trouva que la crasse, enterrée par des décennies d'occupation sauvage. Des bouts de plastiques informes, des capsules rouillées, des fragments de briques, de petits blocs de ciment, un demi-mètre de corde de nylon. C'était sans espoir. La surface mourait, par manque d'eau, et le sous-sol, par excès d'ordures. Plus il creusait, plus la ville lui rendait des détritus, des saletés, des immondices... à l'instar de ses vacances. Plus il tentait de percer le secret de sa femme, plus la situation se dégradait. Il abandonna la pelle et retourna à la cuisine.

L'odeur fade des aliments pourris flottait encore dans la petite pièce. Pressée, belle-maman avait débranché le frigo, sans vérifier s'il contenait encore quelque chose. À leur arrivée, le nettoyage avait demandé une demi-journée de labeur acharné, mouchoirs mouillés d'eau de Cologne sur le nez, le corps secoué par les nausées. Par contre, la maison n'avait reçu aucune visite intempestive. De toute façon, l'odeur aurait suffi à décourager les cambrioleurs les plus entreprenants.

Maria et Lúcio prirent le petit-déjeuner ensemble, sans échanger plus de trois mots ; elle, le nez dans son assiette, lui, caché derrière un journal. Elle quitta la maison pour son travail, après l'avoir rapidement embrassé sur le front. Il se retrouva seul avec les cigales. Il lui restait encore deux jours de vacances pour résoudre le problème bancaire. Depuis son arrivée, des sursauts de colère alternaient avec des bouffées de désespoir. Comme la plupart de ses concitoyens, il concevait la banque comme étant une institution infaillible et intouchable. La faute retombait toujours sur les clients. Les demi-dieux, assis dans leur Olympe climatisé, ne se trompaient jamais, ne pouvaient jamais se tromper! Posée sur la table, entre un couteau beurré et une tasse de café au lait à moitié pleine, la carte de crédit ne payait pourtant guère de mine. Qu'avaient-ils fait pour perdre leur argent? Accroché au mur, près de la porte, le téléphone attendait. Il le décrocha d'une main tremblante.

▶ Message gratuit. Le numéro que vous appelez n'est pas en service. Veuillez consulter le bottin ou notre service de renseignements au numéro 102. Brésil Télécom vous remercie.

Il ferma les yeux avec force et résista à l'envie de vomir dans l'évier. Sa bouche et son nez se remplirent lentement du goût de la pourriture. Cela ne pouvait pas arriver! Il était de retour chez lui, dans sa maison! Il tenait son téléphone en main, pas un de ces bordels d'appareils rouges qui lui remplissaient les oreilles de «now! now! now!». Ses doigts coururent de nouveau sur les touches. La réponse ne se fit pas attendre.

▶ Message gratuit. Le numéro que vous appelez n'est pas en service. Veuillez consulter le bottin ou notre service de renseignements au numéro 102. Brésil Télécom vous remercie.

Pendant un très bref instant, la panique le submergea. Était-il vraiment de retour ou le cauchemar des froideurs nordiques se poursuivait-il? Puis, la peur reflua, ne laissant qu'une sensation de vide. Évidemment! Il était au Brésil! Les indicatifs, internationaux et autres, n'étaient plus nécessaires. Comme un idiot, il avait commencé ses appels par 005511. La réponse de Brésil Télécom ne pouvait pas être différente!

▶ Nous vous remercions de votre appel.

D'accord! Il acceptait les remerciements, mais il voulait connaître le sort de son argent.

▶ Si vous possédez un compte dans notre établissement, faites le 1.
▶ Si vous désirez ouvrir un compte dans notre établissement, faites le 2.
▶ Si vous désirez vous inscrire à notre programme d'épargne *Cash-épargne*, faites le 3. Pour plus d'informations, consultez notre site Internet.
▶ En cas de perte ou de vol de votre carte bancaire, faites le 4.
▶ Si vous désirez parler à un de nos fonctionnaires, composez le numéro de son poste de travail.

▶ Si vous désirez parler au gérant, composez 1000.

▶ Si vous désirez entendre encore une fois ce message, faites le 0.

1-0-0-0.

▶ Pour des raisons de sécurité, si vous possédez un compte chez nous, veuillez composer votre code secret de huit chiffres.

Merde, le code, encore une fois ! L'anniversaire de maman plus la date... Il laissa pendre le combiné et se précipita dans sa chambre. Passeport de Maria ! Dernière page ! 12 05 19 52.

— Banque du Brésil, bonjour.

Voix de femme. Une vraie ? Un répondeur ? Il hésita avant de poursuivre.

— Bonjour. Monsieur Yamaguchi, s'il vous plaît.

— Qui dois-je annoncer, Monsieur ?

— Lúcio Ribeiro. Je suis client de l'agence.

— Je vais voir. Un moment, s'il vous plaît.

Il entendit nettement des bruits de voix.

— Monsieur Ribeiro, je suis désolé, mais monsieur Yamaguchi est en réunion. Je ne peux pas le déranger. Ayez l'obligeance de nous rappeler dans une heure.

Dans un cadre posé sur une étagère, coincée entre quelques livres de cuisine et une chocolatière en cuivre, Maria lui souriait, en se protégeant les yeux contre une clarté trop intense. Maria, l'ancienne. Maria sans mystère. Maria d'avant le froid. Sa Maria.

▶ Nous vous remercions de votre appel… Si vous désirez parler au gérant, composez 1000.

1-0-0-0.

— Ribeiro. Lúcio Ribeiro. Je vous ai appelé, il y a une heure à peu près.

— Monsieur Ribeiro, bien sûr ! Monsieur Yamaguchi vient de sortir. Vous m'en voyez navrée, croyez-moi. Je lui ai transmis votre message, mais il a dû faire face à une situation imprévue. Je doute fort qu'il revienne aujourd'hui. Puis-je faire quelque chose pour vous, en attendant ?

— Oui. Peut-être. Expliquez-moi comment plus de huit mille réals disparaissent d'un compte en banque, sans que son propriétaire ait dépensé cet argent. Ça m'éviterait de devoir comparaître personnellement à l'agence pour foutre ma main sur la gueule de votre patron. Suis-je clair ?

Il avait réussi sa petite tirade, sans élever la voix. La secrétaire ne paraissait pas impressionnée outre mesure.

— Un moment, s'il vous plaît. Je vérifie… Voilà, j'ai un extrait de votre compte sous les yeux. Les huit mille deux cent quarante-neuf réals et douze cents ne manquent pas.

Il sentit le plaisir qu'elle prenait à énoncer cette somme jusqu'aux moindres cents.

— Cette somme est bloquée.

Était-ce un gloussement de satisfaction qu'il entendit ?

— Il n'y a donc pas lieu d'être grossier, acheva-t-elle. De toute façon, je transmettrai votre message à monsieur Yamaguchi.

La photo de Maria riait maintenant à pleines dents. Un rire mauvais, moqueur, plein de rancœur. Un rire qu'on réserve à ceux qui perdent, à ceux que l'on terrasse, que l'on prend plaisir à piétiner. Le son de crécelle, qui sortait du combiné, ne le concernait plus. Malgré l'air moite, presque irrespirable, il sentait une armure de glace écarter les vêtements de sa peau. Des mains tordaient ses bras en arrière et l'immobilisaient, face contre le plancher. D'autres mains le jetaient dans une cellule. Il laissa tomber le combiné et se précipita dans le jardin. Il vomit ses vacances sur les restes calcinés de ses légumes. Il retourna lentement vers la maison. Les yeux moqueurs de la nouvelle Maria lui passèrent un avis sans appel. Son mélo de gamin puni ne servait à rien. Les vacances se prolongeraient en un aller définitif, sans espoir de retour.

Les vingt-sept étages qui séparaient Maria de la rue servaient surtout à étouffer les bruits de la ville et à lui offrir un panorama impressionnant de l'entassement sans fin des édifices mélangés à des maisons, des taudis et des voies express. La hauteur lui donnait aussi le vertige et la forçait à travailler, la plupart du temps, avec les rideaux fermés.

Un avion décolla de l'aéroport du centre-ville et passa en hurlant au-dessus du gratte-ciel, faisant frémir le plancher sous ses pieds. Elle avait réduit l'intensité de la climatisation au minimum, juste pour ne pas transpirer. Quatre pas la séparaient de la porte. À sa gauche, l'agrandissement d'un monstre mécanique, occupé à avaler des épis de blé d'un côté et à cracher les grains de l'autre au moyen d'une trompe tronquée, occupait tout le mur. À sa droite, six photos illustraient les principales merveilles technologiques produites par ses employeurs. Elle ouvrit une grosse chemise et en retira des documents qu'elle se mit à étudier. Dix minutes plus tard, les lettres commencèrent à se télescoper et les papiers, à onduler sous ses yeux. Elle se concentra, réussit à lire deux ou trois phrases, avant que son esprit ne parte encore une fois à la dérive.

Dès son retour, l'angoisse avait disparu. Il ne restait plus qu'une sensation de vide physique et d'insatisfaction qui l'empêchait de travailler. Son chef l'appréciait et attribuait son manque d'élan à la fatigue du voyage. Elle savait que cette situation ne pouvait s'éterniser. Tôt ou tard, il lui faudrait résoudre ses contradictions intérieures si elle voulait garder son emploi.

Elle vint se poster près de la fenêtre et écarta le rideau, juste assez pour voir le panorama, mais sans percevoir la hauteur. Deux étages plus bas, sur le toit d'un édifice plus ancien, une gigantesque affiche publicitaire de plus de huit mètres de haut, fixée au goudronnage imperméable par un enchevêtrement de poutrelles métalliques, montrait un jeune couple souriant sur fond de vallée idyllique.

Le logo d'une banque brillait comme un gigantesque bijou taillé dans un lingot d'or colossal. «Épargnez et le monde entier sera à portée de main.»

Désormais, rien ne pouvait plus la retenir. Elle avait atteint le point de non-retour. Ses besoins sexuels désordonnés ne l'abandonneraient pas. Elle en était pleinement consciente. Elle comprenait qu'elle ne tenterait même plus de leur résister. Tout dépendait, à peine, d'un regard, d'un endroit, d'une personne, d'un geste pour l'assujettir à l'inévitable. La perspective d'être malade ne l'effrayait même pas. Retrouver l'hôpital faisait partie des risques qu'elle était prête à courir. Il ne subsistait qu'un doute : Lúcio ! Pour un instant, ses yeux s'emplirent de larmes hypocrites. Lúcio ne comptait plus ! Il existait seulement comme un camouflage social dont elle se déchargerait un jour, sans la moindre repentance. Lui avouerait-elle ses sordides motifs ? Quelle importance ? Il souffrirait certainement, il souffrait déjà, mais cela non plus ne pouvait être pris en considération, en raison du déferlement d'images qui se succédaient dans son cerveau. Était-elle malade ? Souffrait-elle d'une affection qu'un psychiatre saurait guérir ? Elle secoua la tête, comme pour répondre à sa propre interrogation. Elle se sentait bien, mieux qu'auparavant, quand elle ne se rendait pas compte de ce délicieux côté sombre qui l'habitait. Si elle était malade, elle aimait sa maladie et haïssait l'idée d'en guérir. Lúcio s'en allait déjà en lambeaux dans les replis de cette nouvelle personnalité qu'elle assumait sans sourciller. Il ne restait plus de lui que des images confuses. Un lit dans une chambre d'hôtel. Une caresse volée dans un ascenseur. Un baiser trop rapide, échangé sur un banc public. Une cuisse appuyée contre la sienne. Une bouche qui agace la pointe d'un sein. Des doigts timides qui ont peur de s'enfoncer en elle et qu'il faut placer au bon endroit. Des mots qu'on ne peut prononcer pour des motifs idiots. Des choses qu'on ne peut faire parce que cela ne se fait pas. Qui donc décidait de ce que le sexe devait être et qui interdisait le plaisir? Dieu, bien sûr, secondé par tous les mâles qui avaient infesté sa vie jusqu'à présent. Mais bientôt, il ne resterait de son mari que des bribes de quotidien commun, des bribes mornes, sans sel et sans piment, moments qu'elle s'étonnerait d'avoir vécus.

Elle se rassit lentement, les joues empourprées. Elle consulta sa montre. Encore deux heures avant la fermeture des bureaux. Elle s'empara d'une liasse de papiers qu'elle se mit à éplucher. Il ne convenait pas de perdre son emploi maintenant.

La foule pressait Lúcio entre les baraques de vendeurs à la sauvette, prêts à déguerpir au moindre signal de policier. Cutty Sark distillé dans un fond de garage, Rolex paraguayenne, Lacoste sans crocodile, sac à main Dior en plastique véritable, Céline Dion sur copies artisanales, Windows piratés, le monde des pauvres s'offrait pour pas cher, pour des bouchées de pain, juste suffisantes pour satisfaire l'appétit des gamins. Un monde parallèle de grandes marques pour petites bourses, de logiciels vendus à la douzaine, de baladeurs Sony pour résidents de bidonvilles, de complets Armani entassés dans des cartons de savon liquide.

Dans les pays du tiers-monde, les banques se complaisent dans le luxe et l'ostentation. Nous n'avons rien à voir avec la racaille qui vend ces falsifications, semblent dire leurs façades. Nous méprisons cette tourbe qui ne gagne même pas assez pour ouvrir un compte chez nous, insinuent les vitres fumées. Les gardiens armés, les détecteurs de métaux et une multitude de petits yeux électroniques montrent que, malgré tout, les banquiers ne se sentent pas à l'aise et que personne ne gagne la guerre contre le crime, engendré par la misère qu'elles-mêmes provoquent.

⚏⚏

La porte de l'agence tenait du sas de décompression plus que de l'entrée d'un établissement financier. Lúcio tira vers lui la première porte et se retrouva enfermé dans une cage de verre, sous les regards suspicieux de plusieurs hommes armés. Comme sa présence ne provoqua aucun cataclysme, il fut admis dans le saint des saints, où tous les clients n'étaient pas égaux devant l'argent. Les gradés recevaient les riches qui possédaient des comptes bien fournis, ceux que l'on faisait asseoir dans les bureaux climatisés et à qui on offrait du café et de l'eau fraîche. La piétaille s'organisait en files interminables qui suivaient des parcours complexes, avant de comparaître devant les guichets et leurs prêtres, fonctionnaires tout-puissants, prêts à tout pour protéger le dieu endormi dans les coffres. Lúcio monta un escalier de marbre bleu et déboucha dans un couloir lambrissé où les lumières crues d'en bas étaient remplacées par un reposant éclairage indirect. Il passa entre *Opérations financières* d'un côté et *Cartes de crédit* de l'autre. Puis, vinrent *Services en ligne* et *Direction de ventes*. Passé la porte de la sous-gérance, une table étroite barrait le couloir. Derrière le meuble, une jeune fille sympathique feignit d'ignorer sa présence, jusqu'à ce qu'il s'arrête devant elle. Elle releva alors la tête.

— Oui, Monsieur?

— Je voudrais parler à monsieur Yamaguchi.

— À quel sujet, je vous prie?

— Je m'appelle Lúcio Ribeiro. Je lui ai téléphoné hier.

— Avez-vous pris rendez-vous?

— Non. Mais je crois qu'il me recevra si vous avez la bonté de m'annoncer.

— Je me souviens, maintenant. Monsieur Lúcio Ribeiro. Un instant, je vous prie.

Pourquoi ne comptait-il pas tous les instants d'attente de ce dernier mois, tous les instants gâchés, alors qu'il était pendu aux téléphones des métros et des centres commerciaux, les instants perdus au consulat, les instants soufferts à l'hôpital, les instants volés en prison? Des «instants s'il vous plaît». Des «instants je vous prie».

Comme si on voulait lui confirmer que sa place n'était pas ici, mais au milieu des queues qui s'emmêlaient sous ses pieds, il ne vit aucun siège dans cet endroit où d'ailleurs personne ne devait attendre fort longtemps. L'épais tapis ne l'intimidait pas autant que les graphiques fixés aux murs, garants visuels d'une éternelle prospérité.

L'instant s'allongea. La jeune fille ne revenait pas.

Il n'osait pas marcher de long en large, ni appuyer son dos contre un mur. Une idée le tourmentait. Et s'il laissait tomber cet argent? S'il s'en allait comme si rien n'était arrivé et s'il reprenait sa vie en fermant la parenthèse du voyage? Avec sa Maria de tous les jours?

La porte *Services en ligne* s'ouvrit. Il ne vit que le dos du personnage sortant, qui serrait la main d'un autre, invisible. Le couloir retrouva sa sérénité. Il examinait un graphique qui détaillait la croissance du nombre d'agences en fonction de l'évolution de la bourse de São Paulo, quand la jeune fille revint.

— Madame Cunha va vous recevoir.

— Je n'ai pas demandé à voir madame Cunha, Mademoiselle. Je veux parler avec le gérant, monsieur Yamaguchi.

— Madame Cunha est la secrétaire particulière de monsieur Yamaguchi. Je ne peux rien faire de plus. Veuillez me suivre, s'il vous plaît.

— Bonjour, monsieur Ribeiro.

Lúcio écarquilla les yeux. Il l'avait finalement retrouvée. Il se trouvait en présence de la *Voix*! La voix de tous les répondeurs, c'était celle de madame Cunha. Grave, calme, un rien rauque, sensuelle et indifférente. Mais la femme ne correspondait pas à l'idée qu'il s'en faisait. Courtaude, porteuse de gros seins, lunettes d'écaille, cheveux grisonnants pris en arrière, mine sévère, elle ne possédait aucun attribut qui pût allumer un quelconque désir de la violer et de l'entendre crier «*now! now! now!*».

Lúcio lui serra la main qu'elle lui tendait, le cœur battant. Elle lui fit signe de prendre un siège.

— Votre problème est terminé, dit-elle, en guise d'entrée en matière. Je crois que vous serez satisfait.

— Est-ce que vous parlez anglais? demanda-t-il à brûle-pourpoint.

— Je... je crains de ne pas vous comprendre.

— Parlez-vous anglais?

— Un tout petit peu.

L'étalage de son ignorance la gênait. Avec sa question crétine, l'idiot avait pris l'avantage.

— Pas assez en tout cas pour soutenir une conversation. Pourquoi?

— Pour rien. Il me semblait avoir déjà entendu votre voix quelque part, en anglais. Ce ne peut donc pas être vous.

Il secoua la tête, comme s'il se réveillait.

— Revenons-en à ce qui m'intéresse. Vous disiez que tout est arrangé?

— Oui, mais monsieur Yamaguchi — du menton, elle désigna une porte à sa gauche — veut vous donner la bonne nouvelle personnellement. Je peux vous offrir un café?

— Un verre d'eau, s'il vous plaît.

Il abusait tellement des «s'il vous plaît» qu'il sentait qu'il faisait déjà partie du cercle des intouchables, de ces puissants, protégés du commun par plusieurs couches de secrétaires, électroniques et autres. Il but lentement en se demandant pourquoi il avait soudainement droit au traitement réservé aux porteurs de cravates, de complet gris et de portefeuilles remplis de cartes en plastique.

— Ce ne sera pas long, expliqua madame Cunha. Il reçoit un autre client, mais leur réunion doit toucher à sa fin.

Le téléphone sonna.

— Vous permettez?

— Je vous en prie.

Il perdit contact avec la réalité. «*Now! now! now!*». Le froid, la peur, la neige. «Veuillez patienter. Veuillez patienter.» Les mots sortaient de la bouche de Maria, de ses lèvres boudeuses, de sa langue habile. Maria arrachait ses vêtements. «Viens! Viens! Viens! *Now! Now! Now!*»

— Monsieur Ribeiro!

Comment une machine pouvait-elle connaître son nom? Il décida de l'écarter d'un geste, mais le répondeur insistait.

— Monsieur Ribeiro!

Les lunettes d'écaille le fixaient, curieuses.

— Monsieur Yamaguchi vous attend.

Yamaguchi se leva, contourna son bureau et vint lui secouer énergiquement la main. Son sourire commercial accentuait la fente de ses paupières, unique caractéristique qui, avec son nom, lui restait de son héritage asiatique.

— Et vos vacances ? s'enquit-il. Malgré les petits contretemps, ça s'est bien passé ?

Le Japonais se foutait-il de lui ? D'ailleurs, pourquoi persistait-il à le considérer comme étant Japonais ? Le type était tout aussi Brésilien qu'on pouvait l'être. Avec un peu de chance, ses ancêtres étaient arrivés dans ce pays avant les siens.

— Plus ou moins...

— Je peux vous comprendre. Dans un pays étranger sans argent... Mais j'ai une bonne nouvelle à vous annoncer. Sans le vouloir, vous avez fait des économies.

Il examina les données de son ordinateur.

— Exactement huit mille deux cent quarante-neuf réals et douze cents.

— Si vous me permettez l'expression, ça me fait une belle jambe. C'est bloqué !

— Cher ami, la bonne nouvelle, c'est que j'ai fait débloquer votre argent. Je n'ai toujours pas reçu toutes les factures de votre voyage, mais j'ai pris sur moi de libérer cette somme. Je prends d'ailleurs un risque calculé. Vous comprenez que si les factures arrivent, et que vous n'avez pas les fonds nécessaires pour les liquider, c'est moi qui devrai le faire. Mais, que diable, je ne peux pas laisser un bon client dans le pétrin !

L'attitude de Lúcio exprimait la plus parfaite incompréhension. Voici que, par un miracle bancaire, il devenait soudain un bon client. Yamaguchi se pencha vers lui.

— Une facture de ce montant a été émise quelque part, pendant votre absence. Je n'ai pas les moyens de découvrir ni où, ni quand.

Son sourire s'élargit encore.

— Vous, vous ne vous souvenez de rien ?

— Non, de rien.

Lúcio s'était ressaisi.

— Je ne suis pas assez fou pour dépenser d'un coup tout mon argent au début du voyage. Et je n'ai certainement pas laissé une dette de cette ampleur derrière moi.

— La question n'est pas là. Peu importe ce que vous avez fait. Je suis devenu automatiquement votre garant. Je devrai payer à votre place si vous ne le faites pas.

Plus qu'autre chose, le sourire de Yamaguchi désarçonna Lúcio. Un directeur de banque possédait-il une âme ? Et beaucoup plus chaleureuse qu'il ne le supposait ? Pouvait-il aimer son prochain autrement que par le biais du volume de son compte courant ?

— Ce n'est pas tout. Le fait d'avoir très peu dépensé à l'extérieur avec votre carte vous a sauvé la vie.

Yamaguchi prit un air entendu.

— Pendant votre voyage, le réal a subi une déva-
luation de l'ordre de cinquante pour cent par rapport
à la devise américaine. Votre dette aurait sauté de
huit mille à douze mille réals, du jour au lendemain.
Dans le fond, vous êtes un sacré veinard, monsieur
Ribeiro !

Des chiffres dansaient dans sa tête. Des numéros
de téléphone. Des numéros de comptes bancaires.
Des numéros de cartes de crédit. Combien de chiffres pour appeler la banque ? Cinquante ? Soixante ?
État des dépenses : zéro ! Chance : beaucoup. De
quoi se plaignait-il ? Le visage souriant de l'aimable
monsieur Yamaguchi suintait la sympathie pour ce
client subitement enrichi. Argent retrouvé. Point
final à tous ses problèmes.

— Je ne sais pas comment vous remercier, monsieur Yamaguchi.

— C'est la moindre des choses, voyons ! Je me
dois de veiller sur l'argent que les clients confient
à mon agence.

— Je ne veux pas prendre votre temps plus
longtemps. Encore une fois merci !

— La banque ne mesure pas ses efforts pour
satisfaire ses amis.

— J'en suis persuadé.

Yamaguchi accompagna Lúcio des yeux jusqu'à
ce qu'il disparût dans l'escalier. Puis, il revint sur
ses pas et s'arrêta devant madame Cunha.

— Je ne veux plus voir ce type ici! éructa-t-il. Plus jamais! Dorénavant, il n'a qu'à faire la file en bas, comme tout le monde.

La secrétaire s'absorba dans la lecture d'un rapport et laissa passer l'orage.

— Demandez au chef de notre service juridique de me retrouver ici dans dix minutes. Allez! Bougez-vous! Vous n'êtes pas payée pour dormir.

***

— C'est quoi, cette barbe? demanda Yamaguchi.

L'avocat avait l'air malheureux. Une tache rouge s'étendait sur sa joue gauche.

— Un problème de peau, répondit-il. Mon toubib n'en trouve pas la cause. En plus de tous ces sales trucs que je dois me coller sur la figure, il m'interdit de me raser.

— Les médecins, on sait ce que ça vaut! Essayez quand même de retirer cette pilosité le plus vite possible. Je n'aime pas trop ce genre de fantaisie dans mon agence.

Il saisit une chemise.

— Je veux que vous m'analysiez ceci par le menu. Le sujet concerné est plutôt bête et croit me devoir quelque chose. Mais on ne sait jamais. S'il raconte, par hasard, son histoire à un de vos confrères ou pire, à un journaliste, qui sait ce qui peut nous tomber dessus!

L'avocat s'empara de la chemise et se gratta machinalement le menton.

— Cessez de vous gratter ! Je veux vos conclusions sur mon bureau dans deux jours.

La climatisation, poussée à fond, lançait un jet continu d'air glacé dans le bureau. Le froid soulageait les picotements de sa peau. Malgré les doigts qu'il passait et repassait machinalement sur son front, il parvenait à se concentrer.

Le premier document était une télécopie d'une facture d'hôpital. Le 20 du mois dernier, monsieur Lúcio Ribeiro avait été hospitalisé. Diagnostic : pneumonie. L'hospitalisation avait duré soixante-dix-huit heures. Entre frais d'hôpital et honoraires de médecins, la note s'élevait à huit mille cent douze réals, au change du jour. « J'aurais dû étudier la médecine », songea l'avocat. Le paiement avait été fait par carte bancaire, dont l'empreinte figurait en annexe. La carte appartenait à monsieur Lúcio Ribeiro.

L'avocat s'arma d'un crayon et le passa entre ses cheveux avec une grimace de soulagement.

Une lettre standard, à en-tête de l'administrateur, télécopiée le 23, demandait à l'agence bancaire de bloquer la somme de huit mille deux cents réals, au change du jour, sur le compte de monsieur Lúcio Ribeiro, comme garantie de futur paiement des frais d'hospitalisation, l'hôpital n'ayant pas encore envoyé la facture définitive. L'administrateur expliquait, inutilement d'ailleurs puisque tout le monde était au courant, qu'il s'agissait d'une mesure routinière, permise par la législation en vigueur, destinée à protéger les institutions financières des mauvais payeurs.

La réponse de l'agence datait du même jour et confirmait que la somme en question avait bel et bien été bloquée et que sa valeur accompagnerait les oscillations du change, jusqu'au paiement de la facture.

Le crayon abandonna le cuir chevelu et se mit à dessiner des figures complexes dans la barbe de l'homme. Jusqu'à présent, une procédure normale pour une question, somme toute, banale. Pas de quoi fouetter un chat. Où se cachait le problème ?

Plusieurs factures étaient arrivées les jours suivants. Après le rapide épuisement de ses fonds, les transactions de monsieur Ribeiro avaient été refusées. Pauvre type ! Se retrouver sans un rond à l'étranger ! Drôles de vacances. Suivaient des transcriptions de conversations téléphoniques. Monsieur Ribeiro ne comprenait visiblement pas pourquoi il n'avait plus d'argent, et personne ne semblait pressé de lui expliquer que la plus grande partie de ses réserves bancaires avait été engloutie par son hospitalisation.

Le crayon accéléra son va-et-vient. On restait toujours dans le domaine de l'addition pure et simple. Le type dépense son argent les premiers jours, commet sans doute une grosse erreur dans ses comptes, et se retrouve coincé dans un village miteux d'où il supplie qu'on lui envoie de quoi payer l'hôtel. Le crayon s'arrêta brusquement. Yamaguchi avait autorisé un transfert qui couvrait un peu plus de la valeur du prix de l'hôtel. Yamaguchi! L'homme-finance, pur et dur. Reptation devant les riches. Coup de pied au cul des moins favorisés. Bizarre cette attitude charitable, peu habituelle au personnage!

Le crayon caressait maintenant le menton. Il jouissait presque de soulagement. Ses yeux se plissèrent quand il lut le mot «confidentiel». L'enveloppe portait le timbre d'une compagnie d'assurances et s'adressait au vice-directeur de l'administration brésilienne des cartes de crédit. Elle ne contenait qu'une simple feuille, pliée en trois. Il déposa le crayon sur la table et entreprit de la déplier. Garamond douze points. Une police peu commune pour écrire une lettre d'affaires.

De : *Antônio Fernando Gonçalves Kovak*
Superviseur adjoint
Département des assurances

Pour : *Emílio Castellan*
Vice-directeur — Cartes de crédit internationales
Rio de Janeiro, Brésil

Objet : *carte de crédit 0684 **** **** 7291*
M. Lúcio Ribeiro.

Cher Monsieur,

La maison mère de notre Société, située à Seattle, a attiré notre attention sur une erreur commise lors de la liquidation de la facture numéro 000138-02 de la carte de crédit en rubrique, relative à une hospitalisation. La valeur de cette facture a été bloquée par mégarde sur le compte du porteur de la carte, alors qu'une assurance-maladie couvrait totalement ce type de dépense.

Vu le peu de temps écoulé entre la dépense et la constatation de l'erreur, il est peu probable que le porteur se soit rendu compte de ce qui est arrivé. Nous vous prions de prendre toutes les mesures nécessaires pour réparer ce quiproquo et, au besoin, offrir une indemnisation au porteur avant que cette affaire ne s'ébruite ou ne se termine devant un tribunal.

Veuillez agréer...

L'avocat relut la lettre. Comme ces gens ont la trouille de voir leurs bourdes étalées au grand jour ! Et Dieu seul sait qu'il s'en produit quotidiennement !

La lettre suivante était adressée au directeur de l'agence et portait de logo de l'administrateur de la carte de crédit.

De : *Emílio Castellan*
Vice-directeur — Cartes de crédit internationales
Rio de Janeiro — Brésil

Pour :   *Sergio Uchoa Yamaguchi*
         Directeur
         Agence Les jardins — São Paulo

Objet :   *carte de crédit 0684 **** **** 7291*
         M. Lúcio Ribeiro.

Après vérification, nous vous communiquons, par la présente, qu'une erreur s'est glissée dans la facture 000138-02 de la carte en rubrique. L'erreur a été détectée par notre maison mère de Seattle, qui centralise les assurances offertes par nos cartes internationales. La facture hospitalière, dont la valeur a été bloquée à notre demande, est, en réalité, entièrement couverte par l'assurance-maladie incluse dans l'achat de billets d'avion payés par carte.

Nous vous prions donc de libérer immédiatement cette somme et de présenter nos excuses à monsieur Ribeiro pour le contretemps dont il a souffert. Nous sommes prêts à le dédommager, soit en acquittant ses frais d'hôtel, soit en lui offrant deux sièges de première classe lors de son retour. En contrepartie, monsieur Ribeiro devra signer une décharge attestant qu'il est satisfait du règlement et nous garantissant qu'il n'engagera aucune poursuite judiciaire, ni dans le pays où il se trouve, ni au Brésil.

En aucune façon, votre Agence ne saurait être tenue responsable de cet incident.

Veuillez...

Il relut soigneusement les deux lettres. Procédure normale. Erreur. Excuses. Petits câlins pour calmer le client. L'agence est déchargée de toute responsabilité par écrit. Pourquoi déranger le chef du service juridique pour une affaire liquidée depuis le mois passé?

Dernier document. Une copie de l'ordre de Yamaguchi pour débloquer l'argent. Il ne saisissait toujours pas. Les paroles du directeur lui revinrent à l'esprit. «S'il racontait, par hasard, son histoire à un de vos confrères ou pire, à un journaliste, qui sait ce qui peut nous tomber dessus?» Le picotement de son visage se transformait en brûlure, comme s'il avait pris un coup de soleil. Il reconnut les signes avant-coureurs d'une anxiété croissante. En principe, monsieur Ribeiro pouvait raconter ses déboires à l'Ordre des avocats, et ameuter les journaux, que ça ne changerait rien à l'affaire. Tout le monde était couvert. Il récapitula en écrivant sur une feuille vierge.

1. Un vacancier tombe malade à l'étranger.
2. Il présente sa carte de crédit à l'hôpital, certain qu'elle lui donne droit à une assurance-maladie qui couvrira toutes ses dépenses.
3. Un employé de l'administration de la carte de crédit «oublie» l'existence de l'assurance et fait bloquer la valeur de l'hospitalisation sur le compte du vacancier, comme s'il s'agissait d'un paiement normal.
4. Le vacancier se retrouve dans la merde.
5. L'administrateur de la carte de crédit s'aperçoit de son erreur, demande que l'argent du vacan-

cier soit débloqué, présente ses excuses et offre une réparation.

6. L'argent est débloqué. Le vacancier est content. L'administrateur est content. Le directeur est content. Tout le monde est content.

7. Tout est bien qui finit bien.

Et pourtant, contre toute attente, quelque chose tracassait Yamaguchi. Mais si l'homme n'était intervenu que pour dégeler l'argent, pourquoi était-il donc si inquiet? L'avocat se massa lentement la nuque. Il relut encore une fois la copie de l'ordre de déblocage. Le cachet du caissier masquait la date. Il saisit une loupe, l'examina avec soin et redressa subitement la tête. C'était donc ça! Le salaud n'avait remis l'argent dans le compte de son propriétaire qu'hier, probablement juste avant la visite de Ribeiro. Il avait laissé le pauvre mec se démerder sans une thune pendant presque quatre semaines parce qu'il avait sans doute rangé la lettre de l'administrateur dans un tiroir et l'avait oubliée. Les chances que cet enfoiré de Ribeiro se rende compte de ce qui lui était arrivé étaient minimes. Minimes, mais réelles. Tu n'aimes pas ma barbe et ça te dégoûte de me voir me gratter. Attends! C'est toi qui vas te gratter d'ici peu, mon salaud.

L'avocat retira un micro-ordinateur portatif de sa mallette. Il pensa un instant, ouvrit son traitement de texte, se passa la pointe des ongles sur les joues et commença à écrire.

Monsieur L. Ribeiro,
Pour des raisons que vous comprendrez facile-
ment, je conserverai l'anonymat. Sachez que...

ÉPILOGUE

— Tiens! Regarde ce qui est arrivé ce matin!

Il poussa dans la direction de Maria une feuille blanche sur laquelle figurait un texte court. L'enveloppe déchirée gisait près d'une tasse remplie de café froid. Avant de s'en saisir, elle remarqua le désordre qui s'installait de façon insidieuse dans le petit salon. Un verre taché de vin rouge accompagnait une assiette sale posée sur le guéridon, près du téléphone qui ressemblait plus à un crapaud qu'à l'image d'une divinité. La copie d'un Di Cavalcanti pendait de guingois au-dessus du buffet. Une paire de bas traînait par terre, près d'un soulier renversé. Son regard se posa sur la poussière qui commençait à s'accumuler sur les meubles.

«Une décadence tellement rapide», pensa-t-elle. «Pas plus de dix jours et la maison prend déjà le même chemin que notre mariage. Un bordel couvert de poussière. Tout ça parce que je ne fais plus mon travail de ménagère.» Elle frémit à ce mot. «Pourquoi devrais-je épousseter tous les jours ce fatras, après le bureau, alors que lui se dorlote devant la télé? Pourquoi, lui, ne le fait-il pas? Quelle merde!»

Depuis leur arrivée, elle ne pensait qu'à s'en aller, fuir cette vie qu'elle considérait maintenant mesquine, étriquée. Mais la déroute complète de Lúcio l'empêchait encore de franchir le pas. Il ne dormait plus, ne mangeait plus et, s'il s'obstinait à rester cloîtré dans la maison, il allait perdre son travail. Elle le laissait assis sur une chaise, le matin, perdu dans ses pensées, et le retrouvait au même endroit, le soir. Il se taisait, tout en faisant peser sur elle un regard de vaincu, d'animal blessé qui n'a même plus la force de gronder. Elle mangeait dehors. Lui, il se débrouillait. Elle dormait seule dans le grand lit. Il se contentait du petit sofa où il somnolait, les jambes repliées sur son ventre, branché sur la télé toute la nuit, le son coupé. Le jardin, envahi par les mauvaises herbes et par une fourmilière apparue du jour au lendemain, ne l'intéressait plus. Les insectes occupaient déjà la maison, minuscules points noirs affairés à leur recherche insatiable de nourriture.

Elle ne désirait qu'une excuse pour tout laisser tomber, un reproche, un cri, un coup. Mais elle n'obtenait que le silence, et ce terrible regard qui la remplissait de remords.

Elle s'empara de la feuille et lut rapidement son contenu.

— Quel drôle d'ami, ton Yamaguchi. Quand je pense que tu es revenu de la banque en chantant ses louanges! C'est une drôle de façon d'aider quelqu'un à faire des économies!

— Qu'est-ce qu'on fait?

Elle réfléchit un instant.

— Je ne sais pas si ce bout de papier a une valeur légale. La signature manque.

Il reprit la lettre.

— Parce que tu t'imagines qu'un auteur anonyme va signer ce qu'il écrit?

L'ironie, après tous ces jours de silence, déclencha la réaction libératrice.

— Je n'imagine rien! Je me fous de ton directeur de banque et de ses magouilles! Je suppose que tu vas lui intenter un procès? Choisis un bon avocat et reprends ton travail! Ce genre d'action coûte cher! Et ne te préoccupe surtout pas de moi! Tout ce que je veux, c'est m'en aller sans discussion et sans jérémiade. Tant que je n'aurai pas trouvé un appartement, une copine de travail m'hébergera. Je viendrai prendre mes vêtements plus tard, plus deux ou trois bricoles qui, de toute façon, m'appartiennent. Je te laisse l'argent du voyage, ainsi que celui que ton avocat soutirera à la banque. Tu l'as bien mérité.

Elle renversa presque la chaise en se levant.

— Tu te trouveras certainement une gentille ménagère qui saura te traiter mieux que je ne le fais. En attendant, un conseil. Prends soin de la maison avant que tout ne pourrisse! Les chaussettes par terre et les verres crasseux un peu partout sont parfaitement dégoûtants! Puis, élimine cette fourmilière avant que les insectes ne te bouffent.

Lúcio ne réagit pas tout de suite, agité par mille sentiments contradictoires. Il ferma les yeux et sentit encore une fois le vent du nord lui mordre le visage. Maria se leva et s'empara de son sac à main. La colère chassa le froid qui menaçait d'envahir tout son corps. Elle referma la porte derrière elle, sans se retourner. D'un geste rageur, il transforma la lettre en une boule informe, mais se reprit immédiatement. Il l'étendit sur la table et la lissa du plat de sa main. Il la relut à haute voix, tout en hochant la tête. Il hésita une fraction de seconde et s'empara du combiné. Ses doigts coururent sur le clavier.

▶ Message gratuit. Le numéro que vous appelez n'est pas en service. Veuillez consulter le bottin ou notre service de renseignements au numéro 102. Brésil Télécom vous remercie.

Il se pinça la racine du nez, tout en fermant ses paupières avec force. Un rire nerveux balaya brusquement toute sa tension. Il venait encore une fois, par pur réflexe, d'ajouter l'indicatif du pays et de la région.

Il n'entendit aucun message incongru, ni aucune série d'options intempestives. À peine quatre mots prononcés clairement.

— Syndicat des métallurgistes. Bonjour.

— Je suis membre du syndicat. J'aimerais parler avec le service juridique, s'il vous plaît.

Pas de «à propos de quel sujet, Monsieur?» mais un bref «ne quittez pas». Une autre voix enchaîna:

— Service juridique.

Il exposa son cas avec clarté, fruit d'une longue

expérience. À l'autre bout de la ligne, le silence dura quelques secondes.

— Votre demande sort un peu de l'ordinaire, monsieur Ribeiro. En principe, cette affaire ne concerne pas directement le syndicat. Mais je suis sûr que plusieurs de nos jeunes avocats se feront un plaisir de se frotter à une banque. Ils peuvent très certainement lier ce monsieur Yamaguchi à tous vos déboires consulaires et le rendre indirectement coupable devant la justice fédérale. Je connais la Banque du Brésil, et laissez-moi vous dire que votre gérant ne fera pas de vieux os à son poste.

— Et la question des honoraires ?

— Ne vous préoccupez pas de ça. Ils ne vous demanderont qu'un pourcentage de l'indemnisation. Je peux vous assurer que, si l'histoire que vous m'avez racontée est véridique, votre cause est gagnée d'avance.

De la porte de la cuisine, Lúcio examina son jardin. Rien que des mauvaises herbes et la fourmilière qui atteignait déjà une quinzaine de centimètres de hauteur. Il délimita mentalement deux rectangles. Sous le figuier, il planterait les légumes et les herbes aromatiques. Au soleil, les fleurs. Les fourmis n'imaginaient pas qu'elles n'avaient plus que quelques jours à vivre. Reconquérir Maria serait sans doute plus difficile que de nettoyer ces quelques mètres carrés de terre. Difficile, mais pas impossible.

Dissimulées sous les feuilles du grand arbre, les cigales s'en donnaient à cœur joie.

Mai 2003

amÉrica

Inspirée du mot «america», qui en langue amérindienne (maya) veut dire «pays du vent», la nouvelle collection littéraire de la maison Hurtubise HMH se définit comme l'espace du rêve et du changement.

Consacrée à l'écriture française d'Amérique, amÉrica propose au grand public des fictions et des essais.

Titres parus

L'Amour obscène, roman de Patrick St-Amand
La Danseuse, roman de Maryse Latendresse
Faites le zéro…, roman de Raphaël Korn-Adler
Gaston Miron, le forcené magnifique, essai de Yannick Gasquy-Resch
Mémoires du chien, roman de Johanne Villeneuve
La Route de Bulawayo, roman de Philippe Aquin
São Paulo ou la mort qui rit, roman de Raphaël Korn-Adler
Le Seigneur de l'oreille, roman de Vania Jimenez